Nos meilleurs voeux
pour cette anneé 1999.
Avec notre amitié,
Christiane

Thierry

et les enfants.

LE
plaisir de
CUISINER

Direction artistique et photographies : Michel Paquet
Styliste culinaire : Laurent Saget
Assistante culinaire : Thérèse Meilleur-Maurice
Styliste : Mychèle Painchaud

Révision : Dominique Chauveau
Adaptation : Métrifusion
Conception graphique : Zapp

© 1995 Les Éditions Tormont Inc.
338, rue Saint-Antoine Est
Montréal, Canada H2Y 1A3
Tél. (514) 954-1441
Fax (514) 954-5086

ISBN : 2-89429-640-1
Imprimé au Canada

LES
Entrées

CREVETTES
au FROMAGE FETA

●

4 PORTIONS

───────

1 c. à s.	huile d'olive
170 g	oignons hachés
4	gousses d'ail, hachées
800 g	tomates en conserve, égouttées
2 c. à s.	vermouth blanc sec
1	feuille de laurier
1 c. à c.	origan séché émietté
1	pincée de basilic séché
450 g	crevettes crues, décortiquées et déveinées
150 g	olives noires dénoyautées et tranchées
180 g	feta, coupée en dés
30 g	persil haché finement
1 c. à c.	zeste de citron râpé

• Dans une poêle, faire chauffer l'huile. À feu moyen-vif, y faire revenir les oignons et 2 gousses d'ail hachées, 5 minutes. Ajouter les tomates et le vermouth. Concasser les tomates avec le dos d'une cuillère de bois.

• Ajouter le laurier, l'origan et le basilic. Porter à ébullition, baisser le feu et laisser mijoter 30 minutes pour faire épaissir la sauce.

• Incorporer les crevettes et faire cuire à feu moyen, 4 à 5 minutes. Ajouter les olives et la feta; poivrer.

• Faire chauffer quelques minutes, sans remuer, puis verser dans un plat de présentation chaud.

• Dans un petit bol, mélanger le persil, le reste de l'ail et le zeste de citron. En parsemer le plat et servir.

●

CHAMPIGNONS ET MELON MARINÉS

●

2 PORTIONS

¼ c. à c.	moutarde en poudre
½ c. à c.	poivre noir
½ c. à c.	cassonade
1 c. à c.	oignon haché finement
2 c. à s.	huile d'olive
1 c. à s.	eau
2 c. à s.	vermouth blanc sec
¼	melon
12	têtes de champignon
2 c. à c.	basilic séché
1 c. à c.	menthe hachée

• Dans un bol, mélanger la moutarde, le poivre, la cassonade, l'oignon et l'huile.

• Ajouter l'eau et le vermouth; mélanger.

• Couvrir d'une pellicule plastique et réfrigérer jusqu'au moment de servir.

• Juste avant de servir, tailler la pulpe du melon en boules avec une cuillère parisienne.

• Ajouter les têtes de champignon et les boules de melon à la marinade. Bien mélanger, parfumer au basilic et à la menthe.

●

ROULEAUX DE PRINTEMPS

●

10 PORTIONS

―――

50 g	vermicelles de soja
4	œufs, battus
1	oignon, haché finement
50 g	champignons, hachés
50 g	champignons noirs secs, puis réhydratés, hachés (facultatif)
100 g	crevettes rouges, hachées
450 g	dinde *ou* porc maigre, haché
2 c. à s.	huile de maïs
1	carotte, râpée
50 g	chair de crabe
100 g	germes de soja en conserve, égouttés
2	pincées de poivre
1 c. à s.	sauce soja
3 c. à s.	nuoc-mâm
1	gousse d'ail, hachée
20	galettes de riz très fines
	huile pour grande friture

SAUCE

5 c. à s.	nuoc-mâm
1 c. à s.	jus de citron
1	pincée de sucre
1	gousse d'ail, hachée finement

―――

Le nuoc-mâm est une sauce vietnamienne faite à base de petits poissons macérés dans de la saumure et pilés. Il peut être agrémenté de jus de citron, de piments ou de fines rondelles d'oignon. Le nuoc-mâm est riche en protéines et se sert bien avec des potages et des ragoûts.

• Faire tremper les vermicelles ½ heure dans de l'eau tiède. Égoutter et réserver.

• Dans un bol, bien mélanger tous les ingrédients, sauf les galettes de riz, l'huile pour grande friture et les ingrédients de la sauce.

• À l'aide d'une serviette mouillée, humecter les galettes de riz une à une et déposer au centre de chacune d'elles 2 à 3 c. à s. de farce. Rouler les galettes sur elles-mêmes en refermant soigneusement les extrémités et laisser reposer 30 minutes.

• Faire frire les rouleaux quelques-uns à la fois dans de l'huile bien chaude et les égoutter sur du papier absorbant.

• Dans un petit bol, bien mélanger tous les ingrédients de la sauce. Servir avec les rouleaux de printemps.

●

MELONS FARCIS AUX PETITS FRUITS ET AU POULET

●

2 PORTIONS

1	cantaloup, coupé en deux, épépiné
250 g	poulet cuit coupé en cubes
35 g	céleri tranché
2 c. à s.	ciboulette ciselée finement
5 c. à s.	yaourt nature
3 c. à s.	purée de framboises
2 c. à c.	vinaigre aromatisé à la framboise *ou* autre
	grains de poivre rose *ou* vert (garniture)
	framboises (garniture)

• Sans abîmer l'écorce, tailler la pulpe du cantaloup en dés ou en boules avec une cuillère parisienne.

• Dans un bol, mélanger la pulpe de cantaloup avec le poulet, le céleri et la ciboulette. Réserver.

• Mélanger le yaourt avec la purée de framboises et le vinaigre aromatisé. Incorporer délicatement la moitié de cette sauce au premier mélange.

• Garnir les demi-écorces de cantaloup du mélange et napper du reste de la sauce. Garnir de grains de poivre et de framboises, si désiré.

●

CONSEIL

Ajoutez au poulet des petits dés de pêches ou de poires.

9

HUÎTRES
EN COQUILLES GRATINÉES

●

2 PORTIONS

8	huîtres
3 c. à s.	vin blanc sec
1 c. à s.	beurre
1 c. à s.	farine
¼ litre	lait
1	pincée de muscade
200 g	épinards cuits, égouttés, hachés grossièrement et assaisonnés
3 c. à s.	chapelure fine
2 c. à s.	gruyère râpé
	gros sel

(Suite à la page suivante)

10

• Ouvrir les huîtres, les retirer de leur coquille et les réserver avec leur eau dans une petite casserole.

• Étaler une couche de gros sel sur une tôle. Nettoyer les demi-coquilles creuses, les éponger et les déposer sur le gros sel. Réserver.

• Verser le vin blanc dans la casserole contenant les huîtres et y faire pocher les huîtres 1 à 2 minutes, à feu moyen-vif. Retirer les huîtres du jus de cuisson; réserver les huîtres et le jus de cuisson séparément.

• Dans une casserole, faire fondre le beurre. Ajouter la farine et mélanger. Faire cuire 1 à 2 minutes, sans faire brunir. Incorporer le lait, la muscade et le jus de cuisson des huîtres pour obtenir une sauce de la consistance d'une béchamel.

• Déposer les épinards au fond des demi-coquilles et garnir d'une huître. Napper de sauce, saupoudrer de chapelure et parsemer de fromage.

• Faire gratiner au four. Servir chaud.

UNE FAÇON PRATIQUE D'OUVRIR LES HUÎTRES

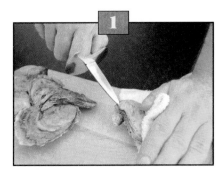

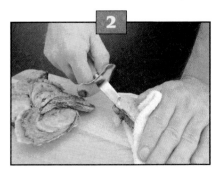

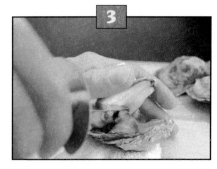

Mettre l'huître dans une serviette épaisse et la déposer sur un plan de travail, le côté plat en haut et la charnière vers soi.
Tenir l'huître d'une main et de l'autre, faire glisser la pointe du couteau à huîtres dans la fente de la charnière.

Écarter les coquilles en enfonçant le couteau avec un mouvement latéral de la lame.

Tenir solidement l'huître enveloppée, faire glisser la lame du couteau autour de la coquille supérieure pour sectionner le ligament. Si nécessaire, enlever les fragments de coquille.

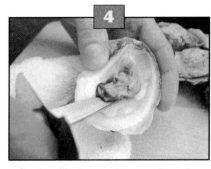

Détacher l'huître en faisant glisser la lame en-dessous pour sectionner le ligament qui la retient à la coquille creuse.

Dans une assiette tapissée de gros sel ou de glace concassée, dresser les huîtres ouvertes; servir avec du vinaigre aromatisé à l'échalote, du citron et du pain de seigle.

TARTELETTES À L'AGNEAU

●

16 TARTELETTES *

PÂTE

125 g	beurre
125 g	fromage frais crémeux
150 g	farine
145 g	farine de blé entier
1 c. à c.	sel

GARNITURE

2 c. à s.	beurre
85 g	oignon haché finement
500 g	viande d'agneau hachée
½ c. à c.	poivre
1 c. à c.	clou de girofle moulu
1 c. à c.	cannelle en poudre
½ c. à c.	muscade en poudre
2 c. à s.	persil haché
80 g	pignons, grillés
135 g	yaourt nature
½	concombre, tranché finement
	quelques feuilles de menthe *ou* brins de persil

• Préchauffer le four à 180 °C.

• *Pour préparer la pâte*, au robot ménager, mélanger le beurre et le fromage frais crémeux. Ajouter graduellement les farines et le sel, jusqu'à ce que le mélange s'amalgame.

• Façonner la pâte en boule, l'envelopper dans une feuille de papier sulfurisé et la réfrigérer 2 heures.

• Déposer la pâte entre deux feuilles de papier sulfurisé, puis l'abaisser avec un rouleau à pâtisserie. Tailler 16 cercles pour foncer des moules à tartelettes de 8 cm de diamètre; réserver sur une tôle.

• *Pour préparer la garniture*, dans une poêle à revêtement antiadhésif, faire fondre le reste du beurre. À feu moyen-vif, y faire ramollir l'oignon.

(Suite à la page suivante)

• Ajouter l'agneau et faire cuire 3 à 4 minutes. Incorporer les assaisonnements, les fines herbes et les pignons.

• Laisser refroidir complètement. Ajouter le yaourt.

• Remplir les moules aux trois quarts et faire cuire au four 30 minutes.

• Garnir de tranches de concombre, de menthe ou de persil. Servir chaud.

* Il est aussi possible d'utiliser des fonds de tartelettes de 8 cm de diamètre pour préparer cette recette.

CREVETTES À L'ESPAGNOLE

4 PORTIONS

20	grosses crevettes crues
3 c. à s.	huile d'olive
1	gousse d'ail, hachée
2 c. à c.	mélange d'origan, de romarin et de thym hachés

• Décortiquer, déveiner et laver les crevettes. Les assécher avec du papier absorbant.

• Faire chauffer l'huile d'olive dans une poêle à revêtement antiadhésif. Ajouter l'ail et les fines herbes.

• Faire frire les crevettes dans l'huile aromatisée, jusqu'à ce qu'elles soient bien roses, en les retournant souvent.

• Bien égoutter sur du papier absorbant et servir.

CONSEIL

Servez ces crevettes, chaudes ou froides, avec une salade verte aromatisée à l'huile d'olive et au vinaigre de vin rouge.

FEUILLETÉS SURPRISE

16 FEUILLETÉS

2	filets de poulet
1 c. à c.	beurre
100 g	pâte filo
2 c. à s.	sauce Teriyaki
½ dl	sauce soja légère
2 c. à s.	miel
½ c. à c.	gingembre coupé finement

• Préchauffer le four à 180 °C.

• Dans le cœur de chaque filet de poulet, prélever une tranche ronde de 2 cm d'épaisseur sur 6 à 8 cm de diamètre. Barder et ficeler.

• Faire fondre le beurre dans une poêle à revêtement antiadhésif. À feu moyen, y faire cuire les filets de poulet environ 5 minutes, ou jusqu'à ce que la viande perde sa teinte rosée à l'intérieur. Réserver et laisser refroidir.

• Couper les filets de poulet dans le sens de la longueur, puis en 4 afin d'obtenir 16 morceaux.

• Dérouler 3 feuilles de pâte filo et les superposer. Couper en 4 bandes, dans le sens de la longueur. Pour chaque bande, disposer un morceau de poulet en haut; replier la pâte par-dessus le poulet pour former un chausson. Badigeonner avec un peu d'eau le bord de la pâte et presser pour sceller. Couper et recommencer avec un autre morceau de poulet (voir étapes).

• Déposer les feuilletés sur une tôle. Faire cuire au four jusqu'à l'obtention d'une légère coloration (5 minutes au maximum).

• Entre-temps, dans une casserole, mélanger les sauces Teriyaki et soja, le miel et le gingembre. Porter à ébullition, ôter la casserole du feu et retirer le gingembre. Sortir les feuilletés du four et servir avec la sauce.

1

Faire cuire les filets de poulet.

2

Couper les filets de poulet dans le sens de la longueur, puis en 4 afin d'obtenir 16 morceaux.

3

Déposer un à un les morceaux de poulet sur la pâte filo, les envelopper dans la pâte, souder et couper.

4

Dans une casserole, mélanger les sauces Teriyaki et soja, le miel et le gingembre. Porter à ébullition.

TERRINE D'ASPERGES ET DE VOLAILLE

●

4 PORTIONS

---

500 g	poitrine de poulet, désossée, sans peau, coupée en fines lamelles
1 c. à s.	estragon haché finement
2	jaunes d'œufs
185 g	yaourt nature
2	blancs d'œufs
250 g	asperges cuites, coupées en morceaux de 2,5 cm
1,5 dl	mayonnaise
	jus et zeste de ½ citron *ou* citron vert
	poivre

• Préchauffer le four à 160 °C. Graisser une terrine rectangulaire.

• Au robot ménager, hacher la poitrine de poulet avec l'estragon et le zeste de citron, 30 à 45 secondes.

• Ajouter les jaunes d'œufs et 135 g de yaourt. Assaisonner et mélanger quelques secondes. Réserver.

• Dans un bol, monter les blancs d'œufs en neige ferme. Incorporer au mélange au poulet.

• Ajouter les asperges, verser la préparation dans la terrine et couvrir d'une feuille de papier sulfurisé. Mettre la terrine au bain-marie dans la lèchefrite du four, enfourner et faire cuire pendant 1 heure. Sortir du four et laisser refroidir.

• Dans un petit bol, mélanger le jus de citron, le reste du yaourt et la mayonnaise. Servir avec la terrine.

●

CROÛTES À LA TOMATE ET AU BASILIC

●

4 À 6 PORTIONS

---

675 g	tomates fraîches *ou* 800 g de tomates en conserve, égouttées
2	gousses d'ail, hachées finement
1 c. à c.	huile d'olive *ou* végétale
¼ c. à c.	sucre
65 g	concentré de tomates
4	feuilles de basilic, hachées finement
4	petites croûtes à pizza
125 g	mozzarella, gruyère *ou* emmental râpé
1 c. à c.	persil haché
	poivre

• Hacher grossièrement les tomates.

• Dans une casserole, mélanger l'ail, l'huile, les tomates, le sucre, le concentré de tomates et le basilic. Poivrer.

• Couvrir à demi et faire cuire 8 à 10 minutes, à feu moyen-doux.

• Garnir les croûtes à pizza de sauce, puis de fromage râpé.

• Parsemer de persil et faire gratiner au four.

●

CONSEIL

Utilisez l'huile

de sésame avec

parcimonie;

sa saveur est

particulièrement

agréable dans les

mets asiatiques.

1

Au robot ménager, hacher grossièrement les noix de coquilles Saint-Jacques et la moitié du saumon fumé.

2

Verser dans un bol. Incorporer l'huile de sésame et le jus de citron.

3

Ajouter le poivron et la ciboulette; mélanger.

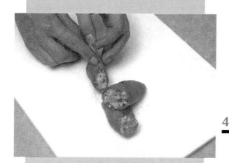

4

Garnir les tranches de saumon fumé de tartare et rouler. Couper en 3.

TARTARE DE SAUMON FUMÉ ET NOIX DE COQUILLES SAINT-JACQUES

●

4 PORTIONS

10	noix de coquilles Saint-Jacques crues
8	tranches de saumon fumé
2 c. à c.	huile de sésame
2 c. à s.	jus de citron
1 c. à s.	poivron rouge haché
1 c. à s.	ciboulette ciselée

• Au robot ménager, hacher grossièrement les noix de coquilles Saint-Jacques et la moitié du saumon fumé. Verser dans un petit bol.

• Bien incorporer l'huile de sésame au mélange, ajouter le jus de citron et mélanger de nouveau; réfrigérer 30 minutes.

• Blanchir le poivron rouge à l'eau bouillante quelques secondes; égoutter et laisser refroidir. Incorporer le poivron et la ciboulette au premier mélange.

• Étaler le reste des tranches de saumon fumé, les garnir de tartare et les rouler sur elles-mêmes. Couper chaque rouleau en 3 et réfrigérer jusqu'au moment de servir.

• Dresser 3 rouleaux par assiette. Servir avec des tranches de pain de mie grillées, coupées en pointes.

●

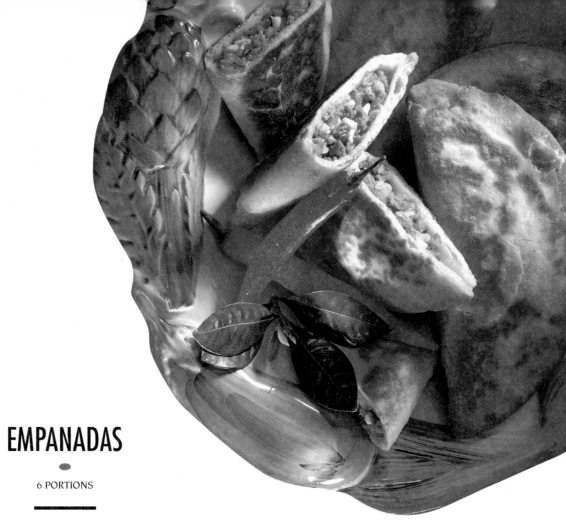

EMPANADAS

•

6 PORTIONS

PÂTE

500 g	farine
1	pincée de sel
½ c. à c.	levure chimique
1 c. à s.	lait tiède
2	œufs
175 g	beurre, ramolli

FARCE

250 g	viande de bœuf, de porc *ou* de veau maigre, hachée
2	oignons, hachés finement
1	gousse d'ail, hachée
½	piment, haché finement
3 c. à s.	huile
2	œufs durs, hachés
8	olives vertes, dénoyautées
50 g	raisins secs, sultana *ou* de Corinthe
1	œuf, battu
	paprika
	marjolaine (facultatif)
	huile de maïs

• Pour préparer la pâte, dans un bol, mélanger la farine, le sel et la levure.

• Creuser un puits au milieu du mélange sec, y verser le lait et incorporer les œufs. Bien mélanger.

• Incorporer le beurre ramolli et bien pétrir. Couvrir et laisser reposer 2 heures environ.

• Pour préparer la farce, dans un bol, mélanger la viande, les oignons, l'ail et le piment.

• Dans une poêle à revêtement antiadhésif, faire chauffer un peu d'huile et y faire cuire la farce. Laisser refroidir.

• Incorporer les œufs durs, les olives, les raisins secs, le paprika et la marjolaine.

• Abaisser la pâte et la découper en 6 cercles.

• Garnir de farce la moitié de chacun des cercles de pâte et en badigeonner le contour d'œuf battu.

• Replier la pâte par-dessus la garniture pour former un chausson et faire dorer dans l'huile chaude des deux côtés. Servir chaud.

•

COUSSINS DE CRÊPES AU SAUMON FUMÉ

●

2 PORTIONS

―――

4	crêpes fines
300 g	saumon fumé, coupé en lanières
1 c. à c.	sbrinz *ou* parmesan râpé
2 c. à c.	câpres égouttées
185 g	yaourt nature
2 c. à c.	olives noires coupées en rondelles
	brins d'aneth *ou* de persil
2	tranches de saumon fumé (garniture)
	poivre

―――

• Préchauffer le four 200 °C.

• Étaler deux crêpes sur une tôle. Répartir sur chacune d'elles les lanières de saumon fumé. Poivrer légèrement.

• À l'aide d'un petit couteau, inciser en forme de X le centre des autres crêpes.

• Les déposer sur les deux premières crêpes préparées et replier les pointes du centre sur elles-mêmes, vers l'extérieur. Parsemer de fromage.

• Faire cuire au four environ 5 minutes.

• Dans un bol, mélanger les câpres, le yaourt et les olives noires.

• Sortir les crêpes du four et déposer au centre de chacune d'elles le mélange à base de yaourt. Garnir de saumon fumé et d'aneth. Servir aussitôt.

●

GUACAMOLE

•

6 PORTIONS

———

2	avocats
2	tomates, pelées, épépinées et hachées finement
1	piment fort, épépiné et haché finement
1	oignon, haché finement
1 c. à c.	coriandre hachée finement
2 c. à c.	jus de citron *ou* de citron vert
	légumes crus *ou* chips tortillas *ou* nachos
	sel et poivre

———

• Couper les avocats en deux dans le sens de la longueur, les dénoyauter et retirer la chair.

• Au robot ménager, réduire en purée la chair des avocats, les tomates et le piment.

• Ajouter l'oignon et la coriandre, mélanger à basse vitesse quelques minutes. Assaisonner et incorporer le jus de citron. Bien mélanger.

• Servir le guacamole avec des légumes crus, des chips tortillas ou des nachos.

•

CROÛTES FONDANTES AU FROMAGE ET AUX CHAMPIGNONS

4 À 6 PORTIONS

4	tranches de bacon, hachées
150 g	champignons, hachés
1	oignon, haché finement
1,25 dl	vin blanc sec
150 g	gruyère, râpé
100 g	emmental, râpé
50 g	cheddar moyen *ou* fort, râpé
3	jaunes d'œufs *ou* 1 gros œuf
4 à 6	tranches de pain de mie, légèrement grillées
	paprika

• Dans une poêle chaude, faire fondre le bacon haché sans trop le faire cuire. Égoutter pour retirer l'excédent de graisse.

• Dans la même poêle, faire revenir rapidement les champignons et l'oignon.

• Déglacer au vin blanc. Laisser réduire jusqu'à l'évaporation du liquide. Retirer du feu, ajouter aux fromages râpés et bien mélanger.

• Lier avec les jaunes d'œufs, en les incorporant un à un, pour former une pâte.

• Tartiner les tranches de pain légèrement grillées de ce mélange, saupoudrer de paprika et passer sous la rampe du gril pour faire dorer.

• Couper les tranches de pain à l'aide d'un emporte-pièce lisse ou cannelé.

CONSEILS

Les croûtes fondantes se congèlent très bien avant la cuisson.

Pour les servir avec l'apéritif, les couper en 8, en comptant 4 bouchées par personne.

RAVIOLIS FORESTIERS

●

4 PORTIONS

---

45 g	beurre
4	échalotes roses, hachées
675 g	champignons, hachés
2 c. à s.	persil haché
40 g	gruyère râpé
28	carrés de pâte à nouille, de 5 cm de côté
¾ litre	bouillon de volaille
3,75 dl	sauce tomate
500 g	ailes de poulet, bien assaisonnées de sel, de poivre et de paprika
2 c. à s.	ciboulette ciselée

• Dans une poêle à revêtement antiadhésif, à feu moyen, faire fondre 1 c. à s. de beurre. Y faire revenir les échalotes 4 minutes; incorporer les champignons. Faire cuire jusqu'à ce que le liquide se soit évaporé, environ 10 minutes, puis ajouter le persil. Mettre dans un bol; réserver.

• Lorsque la préparation est complètement refroidie, ajouter le gruyère.

• Farcir les carrés de pâte à nouille de la préparation aux champignons et replier pour former des petits balluchons. Souder les bords avec un peu d'eau.

• Faire frémir le bouillon de volaille dans une casserole et y faire pocher les raviolis, quelques-uns à la fois, pendant 5 à 7 minutes. Retirer les raviolis de la casserole; réserver dans un peu de bouillon refroidi.

• À feu vif, faire réduire le reste du bouillon presque à sec, puis ajouter la sauce tomate. Baisser le feu à moyen-doux et laisser mijoter 5 minutes.

• Dans la poêle, faire fondre le reste du beurre et y faire cuire les ailes de poulet, à feu doux.

• Napper de sauce un plat ou une assiette, y dresser les ailes de poulet et les raviolis, parsemer de ciboulette et servir.

●

1

Faire cuire les champignons et les échalotes roses, puis ajouter le persil.

2

Farcir les carrés de pâte avec la préparation aux champignons et faire cuire.

3

Ajouter la sauce tomate au bouillon de volaille; laisser réduire.

4

Faire cuire les ailes de poulet.

ASSIETTE D'AVOCATS AU HOMARD ET AUX PAMPLEMOUSSES

6 PORTIONS

VINAIGRETTE ROSÉE

275 g	yaourt nature
2 c. à s.	ciboulette ciselée finement
½ c. à c.	gingembre haché finement
1 c. à s.	sauce chili
½ c. à c.	tabasco
½ c. à c.	paprika
1 c. à s.	miel
2 c. à c.	jus de citron

SALADE

500 g	chair de homard cuite
2 à 3	pamplemousses, roses de préférence
2	avocats
1	laitue en feuilles
100 g	champignons émincés finement
	jus de citron

• Mélanger tous les ingrédients de la vinaigrette, couvrir et réfrigérer 1 à 2 heures afin de permettre aux parfums de se mélanger.

• *Pour préparer la salade*, mettre la chair de homard dans un bol et réserver.

• Peler les pamplemousses à vif, les séparer en quartiers et retirer les membranes. Réserver.

• Couper chaque avocat en deux dans le sens de la longueur, les dénoyauter et les peler. Badigeonner légèrement la chair des avocats de jus de citron pour l'empêcher de noircir, puis la trancher.

• Pour servir, garnir une assiette de feuilles de laitue, y déposer des rangées de tranches d'avocats, de quartiers de pamplemousse pelés à vif et de chair de homard. Napper de vinaigrette. Décorer de champignons tranchés.

MINI VOL-au-VENT
aux ESCARGOTS

●

4 PORTIONS

1	boîte de 12 gros escargots
125 g	beurre, légèrement ramolli
2	gousses d'ail, hachées finement
1	échalote nouvelle, hachée finement
2 c. à s.	persil haché
1	pincée de muscade
2 c. à s.	vin blanc sec
12	mini vol-au-vent, cuits
12	têtes de champignon
	poivre

• Préchauffer le four à 200 °C.

• Égoutter les escargots, les rincer à l'eau froide et les égoutter de nouveau.

• Mélanger en une préparation homogène le beurre, l'ail, l'échalote nouvelle, le persil, le poivre, la muscade et le vin blanc.

• Déposer environ 1 c. à c. de ce mélange dans chaque vol-au-vent, garnir d'un escargot et recouvrir entièrement du mélange à l'ail et d'une tête de champignon.

• Déposer les vol-au-vent dans un grand plat ou dans 4 petits plats allant au four. Enfourner et faire cuire 8 à 10 minutes.

●

Remplacez les mini vol-au-vent par des petites rondelles de pain de mie de blé entier grillées.

CONSEIL

Pour servir, garnissez les assiettes de coulis de tomates, déposez les mini vol-au-vent dessus et parsemez de persil haché.

MONTAGE D'UN SOUFFLÉ

1

Graisser et fariner légèrement un moule à soufflé. Tailler une bande de papier d'aluminium légèrement plus grande que la circonférence du moule, et la plier en deux dans le sens de la longueur.

2

À l'aide d'une ficelle, fixer la bande de papier d'aluminium à l'extérieur du moule à soufflé, en la faisant dépasser de 5 cm. Graisser le moule et la surface interne de la bande de papier d'aluminium.

3

Procéder à la préparation du mélange, selon la recette.

4

Monter les blancs d'œufs en neige ferme. À l'aide d'une spatule, les incorporer au mélange de base.

5

Verser doucement dans le moule. Faire cuire au four 55 à 60 minutes ou jusqu'à ce que la lame d'un couteau, enfoncée au centre, en ressorte propre.

6

Retirer la bande de papier d'aluminium. Servir immédiatement.

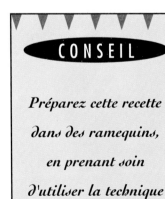

CONSEIL

Préparez cette recette dans des ramequins, en prenant soin d'utiliser la technique de la bande de papier d'aluminium.

SOUFFLÉ au FROMAGE et au JAMBON

4 PORTIONS

90 g	beurre
100 g	farine
½ c. à c.	moutarde en poudre
3,75 dl	lait
185 g	gruyère râpé
170 g	épaule de porc fumée, cuite et hachée finement
1 c. à c.	sauce Worcestershire
6	œufs

• Préchauffer le four à 180 °C. Préparer un moule à soufflé selon la technique de la page 28.

• Dans une casserole, faire fondre le beurre à feu moyen-doux et ajouter la farine et la moutarde. Porter à ébullition en remuant de temps en temps.

• Baisser le feu, incorporer le lait peu à peu et faire cuire jusqu'à l'obtention d'un mélange lisse et épais.

• Ajouter le fromage, l'épaule de porc fumée et la sauce Worcestershire; remuer jusqu'à ce que le fromage soit fondu. Retirer du feu.

• Incorporer les jaunes d'œufs un à un, en battant bien avec une cuillère de bois après chaque addition. Réserver les blancs.

• Monter les blancs d'œufs en neige ferme. À l'aide d'une spatule, incorporer au mélange au fromage avec précaution.

• Verser doucement dans le moule. Enfourner et faire cuire 55 à 60 minutes ou jusqu'à ce que la lame d'un couteau, enfoncée au milieu, en ressorte propre.

• Retirer la bande de papier d'aluminium. Servir immédiatement.

HUMMUS ET PITA

6 PORTIONS

1	boîte de pois chiches, rincés et égouttés
30 g	persil haché
135 g	yaourt nature
20 g	échalotes nouvelles hachées
2 c. à s.	jus de citron
2	gousses d'ail, émincées
6	petits pains pita
	brins de persil
	sel et poivre

Grâce aux pois chiches, cette recette renferme autant de calcium que 1,25 dl de lait, autant de fibres que 12 tranches de pain de blé entier et autant de fer que 100 g de poulet.

• Au robot ménager, réduire en purée les pois chiches et les autres ingrédients, sauf les pains pita et les brins de persil.

• Déposer le mélange dans un plat de présentation, couvrir et réfrigérer.

• Au moment de servir, préchauffer le four à 180 °C.

• Découper chaque pain pita en 6 pointes et les déposer sur une tôle. Faire dorer quelques minutes au four jusqu'à ce que les pointes de pita deviennent croustillantes. Garnir d'hummus et de persil.

SALADE DE MANGUE

●

2 PORTIONS

———

2 c. à s.	**jus d'orange non sucré**
1 c. à s.	**vinaigre de vin rouge *ou* aromatisé aux fruits**
1 c. à s.	**jus de citron**
2 c. à s.	**huile d'olive**
1	**laitue pommée, déchiquetée**
1	**mangue, pelée, dénoyautée et coupée en dés (réserver quelques fines tranches pour la garniture)**
	poivre

———

• Dans un bol, mélanger le jus d'orange, le vinaigre et le jus de citron. Poivrer.

• En fouettant, bien incorporer graduellement l'huile d'olive.

• Garnir un plat de présentation de laitue et de quelques tranches de mangue, puis déposer les dés de mangue sur les feuilles de laitue. Servir avec la vinaigrette à l'orange.

●

PÂTÉ DE FOIES DE VOLAILLE À LA PISTACHE

Good Easy

●

4 À 6 PORTIONS

250 g	foies de volaille, parés
½ litre	eau
50 g	beurre
1	oignon, haché
1	gousse d'ail, hachée finement
2 c. à s.	cognac *ou* brandy
2 c. à s.	crème fraîche épaisse
70 g	pistaches hachées grossièrement

• Rincer et assécher les foies de volaille.

• Dans une casserole, porter l'eau à ébullition et y faire pocher les foies de volaille 5 minutes. Égoutter et réserver.

• Dans une poêle à revêtement antiadhésif, faire fondre le beurre à feu moyen; y faire suer l'oignon et l'ail.

• Ajouter les foies de volaille et poursuivre la cuisson 4 minutes environ. Laisser refroidir 5 à 6 minutes.

• Au robot ménager, réduire en purée le mélange aux foies, parfumer au cognac et incorporer la crème.

• Ajouter les pistaches et mélanger brièvement à vitesse moyenne, jusqu'à l'obtention d'une texture grumeleuse.

• Verser dans une terrine. Couvrir et réfrigérer. Servir sur des canapés.

●

Rincer, assécher et faire pocher les foies de volaille.

Faire suer l'oignon et l'ail. Ajouter les foies de volaille.

Réduire en purée, parfumer au cognac, ajouter la crème et les pistaches.

Verser dans une terrine.

CHAUSSONS À L'AGNEAU, SAUCE YAOURT

•

24 CHAUSSONS

2 c. à s.	huile végétale
2	échalotes nouvelles, hachées
2	gousses d'ail, émincées
1 c. à s.	gingembre émincé
500 g	viande d'agneau maigre hachée
2 c. à s.	amandes blanchies et hachées
½ dl	jus de citron
2 c. à c.	cumin en poudre
¼ c. à c.	sel
1	pincée de piment fort en flocons (facultatif)
1	œuf battu
	pâte feuilletée

SAUCE

275 g	yaourt nature
3 c. à s.	coriandre hachée
1 c. à s.	poudre de cari
1	pincée de sel

• Dans une poêle, faire chauffer l'huile à feu moyen. Y faire revenir 3 minutes les oignons, l'ail et le gingembre. Ajouter l'agneau et les amandes et poursuivre la cuisson 5 à 7 minutes, en remuant souvent.

• Incorporer le jus de citron, le cumin, le sel et le piment. Laisser mijoter 5 minutes en remuant continuellement. Laisser tiédir; réserver au frais.

• Préchauffer le four à 200 °C. Abaisser la pâte feuilletée en deux rectangles de 30 cm sur 23 cm. Couper chaque rectangle en 12 carrés égaux et les badigeonner d'œuf battu. Répartir également la farce entre les carrés de pâte, puis les replier en forme de chausson. Presser les bords pour sceller.

• Déposer sur une tôle et badigeonner avec le reste d'œuf battu. Faire cuire au four, 15 à 20 minutes.

• Préparer la sauce en mélangeant bien tous les ingrédients. Servir avec les chaussons à l'agneau.

•

SOUFFLÉS INDIVIDUELS
AUX PETITS CRUSTACÉS

●

8 PORTIONS

―――

250 g	crevettes rouges crues, décortiquées et déveinées
1 c. à s.	jus de citron *ou* de citron vert
2 c. à s.	beurre
3 c. à s.	farine
3,25 dl	lait
1 c. à s.	concentré de tomates
1	pincée de poivre de Cayenne *ou* de paprika
6	œufs, blancs et jaunes séparés
3	petits bouquets de persil
	tabasco

―――

• Préchauffer le four à 180 °C et graisser 8 ramequins.

• Dans un bol, déposer les crevettes et les arroser du jus de citron; réserver.

• Dans une casserole, faire fondre le beurre à feu moyen-doux. Ajouter peu à peu la farine et remuer vivement avec une cuillère de bois, pour obtenir un mélange lisse. Ajouter le lait en remuant continuellement. Porter à ébullition et faire cuire jusqu'à ce que la sauce épaississe.

• Incorporer le concentré de tomates, le tabasco et le poivre de Cayenne. Faire cuire à feu très doux, 2 à 3 minutes.

• Mettre la moitié des crevettes et les jaunes d'œufs dans le bol du robot ménager. Mélanger 10 à 20 secondes tout en incorporant la sauce, jusqu'à l'obtention d'une préparation grumeleuse. Ajouter le reste des crevettes et le persil et mélanger brièvement, sans réduire en purée. Réserver.

• Monter les blancs d'œufs en neige. À l'aide d'une spatule, les incorporer délicatement au mélange.

• Préparer les ramequins selon la technique de la page 28. Les remplir aux trois quarts du mélange. Les placer au milieu du four et faire cuire 25 minutes.

●

CONSEIL

Pour réaliser un seul soufflé, utilisez un moule de 20 cm de diamètre, remplissez-le aux trois quarts et augmentez le temps de cuisson d'environ 10 minutes.

CHAMPIGNONS FARCIS
EN FILO

●

4 PORTIONS

---

120 g	beurre
20	têtes de champignon
1,25 dl	eau
150 g	champignons hachés
1	échalote nouvelle, hachée
1	gousse d'ail, hachée
1 c. à s.	crème fraîche épaisse
2 c. à c.	persil haché
20	feuilles de pâte filo

• Dans une casserole, faire fondre 1 c. à s. de beurre, puis y faire dorer les têtes de champignon. Ajouter 1,25 dl d'eau et faire cuire 4 minutes, à feu doux. Retirer les champignons, les égoutter et réserver.

• Dans la même casserole, faire fondre 1 c. à s. de beurre. Ajouter les champignons hachés, l'échalote nouvelle et l'ail. Faire cuire quelques minutes, puis ajouter la crème et le persil. Assaisonner et garnir les têtes de champignon de ce mélange. Laisser refroidir.

• Préchauffer le four à 190 °C.

• Dans une poêle, faire fondre 90 g de beurre. Réserver.

• Préparer 20 feuilles de pâte filo et couper chacune d'elles en 4 rectangles égaux. À l'aide d'un pinceau, badigeonner 4 rectangles de pâte filo de beurre fondu, puis les superposer.

• Déposer une tête de champignon farcie au centre et refermer la pâte filo par-dessus. Répéter l'opération avec les autres champignons.

• Disposer sur une tôle et faire cuire au four 15 à 20 minutes, ou jusqu'à ce que la pâte soit dorée. Servir chaud.

●

CONSEILS

Pour servir ces champignons comme entrée, accompagnez-les d'une sauce tomate.

●

Conservez le jus de cuisson des champignons pour la préparation d'un potage.

Il est possible d'utiliser les garnitures sucrées ou salées et de donner diverses formes aux entrées : chausson, rouleau, carré, etc. Le produit final peut se congeler facilement avant la cuisson. Pour faire cuire, enfourner sans faire dégeler et augmenter légèrement le temps de cuisson.

UTILISATION DE LA PÂTE FILO

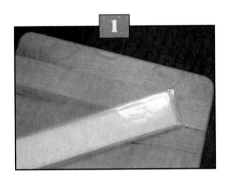

Faire décongeler le rouleau de pâte filo à la température ambiante, ½ heure environ avant l'utilisation.

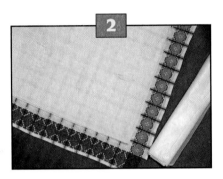

Dérouler la pâte filo, prélever le nombre de feuilles requises et les déposer sur un linge humide. (Enrouler le reste de pâte filo, bien l'envelopper et congeler de nouveau.)

Superposer les feuilles de pâte filo et, aux quatre feuilles environ, badigeonner la surface de beurre fondu.

Farcir la pâte filo de garnitures au choix.

Refermer la pâte filo et badigeonner de nouveau de beurre fondu. Déposer sur une tôle; faire dorer au four à 180 °C. Servir aussitôt.

BLINIS

●

15 BLINIS

---

425 g	farine de blé entier
6,25 dl	lait
1	sachet de levure active
3	jaunes d'œufs
125 g	beurre, à la température ambiante
½ c. à c.	sel
3	blancs d'œufs
	huile de maïs
	caviar *ou* œufs de lompe, crème aigre et yaourt *ou* poisson fumé

• Mettre 145 g de farine dans un bol. Réserver.

• Dans une casserole, faire tiédir 1,5 dl de lait et ajouter la levure. Retirer du feu.

• Verser dans le bol contenant la farine et mélanger. Couvrir et réserver dans un endroit chaud pendant 1 heure.

• Dans un autre bol, battre les jaunes d'œufs avec le beurre. Incorporer graduellement la pâte de levure et les restes de la farine et du lait. Saler et mélanger jusqu'à l'obtention d'une consistance lisse. Laisser lever 30 minutes.

• Monter les blancs d'œufs en neige, puis les incorporer à la pâte.

• Huiler une grande poêle, puis la faire chauffer. Y verser la préparation par petites louches ou par portions d'environ ½ dl pour faire des petites crêpes; faire dorer des deux côtés.

• Servir avec le caviar ou les œufs de lompe, la crème aigre et le yaourt ou le poisson fumé.

●

MOUSSE AU SAUMON FUMÉ

●

4 PORTIONS

75 g	saumon fumé
70 g	fromage blanc épais
3 c. à s.	yaourt nature
2 c. à s.	jus de citron
1 c. à c.	moutarde forte
4	tranches de pain de mie de blé entier, grillées, taillées en petites bouchées
110 g	haricots mange-tout
90 g	bulbe de fenouil coupé en bâtonnets
2	branches de céleri coupées en bâtonnets
	poivre fraîchement moulu

• Au robot ménager, réduire en un mélange homogène le saumon fumé, le fromage, le yaourt, le jus de citron, la moutarde et le poivre. Réfrigérer.

• Tartiner les bouchées de pain grillé de ce mélange et servir le reste dans un bol, accompagné des légumes (haricots mange-tout, fenouil et céleri).

●

CONSEIL

Incorporez

au mélange des

câpres et du zeste

de citron râpé.

QUICHE AU JAMBON ET AU FROMAGE

●

6 À 8 PORTIONS

PÂTE

290 g	farine de blé entier
2	pincées de sel
125 g	beurre
½ dl	eau glacée
1 c. à c.	vinaigre blanc

GARNITURE

120 g	emmental *ou* gruyère, râpé
110 g	jambon cuit coupé en dés
3	œufs
3 dl	lait
	sel et poivre
	noix de muscade râpée

• Dans un bol, mélanger la farine et le sel. Ajouter le beurre et l'incorporer à l'aide de deux couteaux, jusqu'à ce qu'il soit réduit en morceaux de la grosseur de petits pois. Ajouter l'eau et le vinaigre par petites quantités et mélanger légèrement avec une fourchette. Façonner en boule.

• Envelopper d'une pellicule plastique et laisser reposer 30 minutes au réfrigérateur.

• Préchauffer le four à 220 °C.

• Abaisser la pâte sur un plan de travail légèrement fariné.

• Graisser une tourtière et la foncer de l'abaisse en prenant soin de couvrir aussi les bords du moule. Réfrigérer.

• Dans un bol, bien mélanger tous les ingrédients de la garniture. Verser sur la pâte.

• Placer le moule au milieu du four. Faire cuire 40 à 50 minutes.

• Laisser reposer quelques minutes avant de servir.

●

PRÉPARATION D'UNE QUICHE

Préparer la pâte, l'abaisser et en foncer une tourtière graissée. Réfrigérer.

Dans un bol, bien mélanger tous les ingrédients de la garniture.

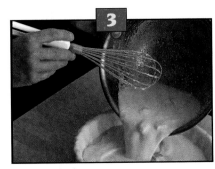

Verser la préparation sur la pâte.

Placer la tourtière au milieu du four. Faire cuire 40 à 50 minutes. Laisser reposer quelques minutes avant de servir.

CONSEIL

Préparez cette recette dans des moules à tartelettes et servez les mini-quiches en amuse-gueule.

LES
Soupes

CRÈME de CRESSON

—•—

4 PORTIONS

—

2 c. à s.	beurre
85 g	oignon haché
100 g	pomme de terre épluchée et râpée
1 c. à s.	persil haché
100 g	cresson haché
½ litre	bouillon de volaille
1 c. à c.	origan
¼ litre	crème fleurette
	poivre

—

• Dans une casserole, faire fondre le beurre à feu doux. Ajouter l'oignon, la pomme de terre et le persil. Couvrir et faire cuire 5 minutes.

• Ajouter le cresson, le bouillon de volaille et l'origan. Porter à ébullition. Laisser mijoter 20 minutes, à feu moyen.

• Passer le mélange au robot ménager. Remettre le potage dans la casserole et faire chauffer doucement. Poivrer.

• Incorporer la crème; bien mélanger. Faire réchauffer doucement, sans faire bouillir et servir.

—•—

1

Faire fondre le beurre, ajouter l'oignon, la pomme de terre et le persil.

2

Ajouter le cresson, le bouillon de volaille et l'origan. Porter à ébullition.

3

Passer le mélange au robot ménager. Remettre dans la casserole. Poivrer.

4

Bien incorporer la crème.

CONSEIL

Utilisez cette recette comme base pour des potages de toutes sortes, en remplaçant le cresson par de la laitue, du poireau ou par n'importe quel autre légume feuillu.

CONSEIL

Ajoutez de la chair de crabe ou des petites crevettes.

SOUPE AUX NOUILLES CHINOISES

4 À 6 PORTIONS

Les pâtes sont énergétiques, peu caloriques, faibles en gras et faciles à digérer.

1 c. à s.	beurre
200 g	champignons tranchés
1 c. à c.	ail haché finement
1,5 litre	bouillon de volaille
100 g	nouilles à chow-mein fraîches *ou* nouilles ordinaires
1 c. à s.	jus de citron *ou* vinaigre aromatisé aux fruits
1	trait de sauce de piment *ou* d'huile de chili (facultatif)
50 g	échalotes nouvelles hachées
1 c. à s.	coriandre hachée
1 c. à c.	gingembre haché

• Dans une casserole, faire fondre le beurre. À feu vif, y faire revenir les champignons et l'ail 2 minutes.

• Ajouter le bouillon de volaille et porter à ébullition.

• Incorporer les nouilles, le jus de citron et la sauce de piment.

• Baisser le feu, couvrir et laisser mijoter 3 minutes. Incorporer les échalotes nouvelles, la coriandre et le gingembre; servir.

STRACCIATELLA

●

4 À 6 PORTIONS

---

1 litre	bouillon de volaille *ou* de bœuf
2	œufs
2 c. à s.	semoule fine *ou* cœur de germes de blé
50 g	sbrinz *ou* parmesan râpé
1 c. à s.	persil haché
1	pincée de muscade
	poivre
	biscottes *ou* croûtons (accompagnement)

• Réserver ¼ litre de bouillon froid.

• Dans une casserole, porter le reste du bouillon à ébullition.

• Dans un bol, mélanger les œufs, la semoule, le fromage, le persil et la muscade. Incorporer au bouillon froid réservé.

• En fouettant, incorporer ce mélange au bouillon chaud, et poursuivre la cuisson à feu doux, jusqu'à ce que les œufs forment des petits filaments. Poivrer et servir avec des biscottes.

●

CONSEIL

Servez cette soupe avec du sbrinz ou du parmesan râpé.

CHAUDRÉE DE PALOURDES ULTRA-SIMPLE

●

4 PORTIONS

Remplacez les palourdes par d'autres crustacés tels que les moules, les huîtres, les crevettes. Si vous utilisez des fruits de mer frais ou surgelés, ajoutez 1,25 dl de bouillon de volaille en même temps que la chair de crustacé.

1 c. à s.	beurre
1	oignon, haché
2	carottes, hachées
2	pommes de terre, épluchées et coupées en dés
350 g	palourdes en conserve, avec leur jus
¼ litre	eau
½ litre	lait
	poivre

• Dans une casserole, faire fondre le beurre, puis y faire dorer les légumes pendant 5 minutes, en remuant.

• Ajouter les palourdes (et leur jus) puis l'eau pour bien couvrir les ingrédients. Laisser mijoter à feu moyen, jusqu'à ce que les légumes soient bien tendres et que le liquide ait diminué de moitié (environ 15 minutes).

• Incorporer le lait en remuant continuellement, et amener au point d'ébullition. Ne pas faire bouillir. Dès que des bulles se forment à la surface, baisser le feu pour maintenir le liquide juste sous le point d'ébullition le plus longtemps possible (3 à 4 minutes).

• Poivrer et servir.

●

GASPACHO

●

6 À 8 PORTIONS

3	gousses d'ail, écrasées
450 g	tomates, pelées et épépinées
1	concombre, haché
½	poivron rouge, haché
6	échalotes nouvelles, hachées
3,75 dl	jus de tomate
1 c. à s.	vinaigre de vin rouge
1 c. à c.	sucre
½ c. à c.	sel
1 c. à s.	huile d'olive
	croûtons
	rondelles de citron

• Au robot ménager, mélanger tous les ingrédients, sauf les croûtons et les tranches de citron, jusqu'à l'obtention d'une consistance lisse.

• Verser dans une soupière et réfrigérer.

• Servir le gaspacho dans des assiettes creuses froides, garni de croûtons et de rondelles de citron.

●

CONSEIL

Le gaspacho est une façon simple et rafraîchissante de consommer des légumes.

La tomate est pauvre en calories, car elle renferme 95% d'eau, mais elle est riche en vitamines C et A. Pour le brunch, offrez cette soupe vitaminée sous forme de boisson, comme substitut aux boissons alcoolisées.

POTAGE au CŒUR
de la MER

2 PORTIONS

2 c. à s.	huile d'olive
1	oignon, haché finement
1	boîte de cœurs d'artichauts, égouttés
¼ litre	bouillon de volaille
½ dl	vin blanc sec
1,75 dl	babeurre
2 c. à s.	persil haché
½ c. à c.	muscade
250 g	fruits de mer au choix, hachés
	poivre

• Dans une casserole, faire chauffer l'huile. Y faire cuire l'oignon environ 5 minutes, à feu doux. Ajouter les cœurs d'artichauts, le bouillon de volaille et le vin blanc. Couvrir et laisser mijoter 5 minutes.

• Passer le mélange au robot ménager, puis le remettre dans la casserole.

• Ajouter le babeurre, le persil et la muscade; poivrer. Laisser mijoter à feu doux, 8 minutes.

• Incorporer les fruits de mer et faire cuire 5 minutes, sans laisser bouillir. Garnir de persil et servir.

CONSEIL

Évitez de faire bouillir ce potage, car les fruits de mer auront une texture caoutchouteuse.

SOUPE ÉPICÉE

●

4 PORTIONS

───────

1 c. à s.	huile de maïs
1	oignon, haché finement
1	gousse d'ail, émincée
½ c. à c.	cumin en poudre
1½ c. à c.	poudre de cari
¼ c. à c.	gingembre haché finement
6,25 dl	bouillon de volaille
1	carotte, coupée en julienne
¼ litre	jus de tomate *ou* de légumes
1	pomme de terre, épluchée et coupée en julienne
35 g	maïs en grains *ou* en conserve, égoutté
	poivre

───────

• Dans une grande casserole, faire chauffer l'huile. À feu moyen, y faire revenir l'oignon, l'ail, le cumin, le cari et le gingembre, jusqu'à ce que l'oignon soit tendre.

• Ajouter le bouillon de volaille, la carotte et le jus de tomate. Bien mélanger. Faire cuire à feu moyen 20 minutes, ou jusqu'à ce que la carotte soit tendre.

• Ajouter la pomme de terre. Laisser cuire 5 minutes.

• Incorporer le maïs, couvrir et poursuivre la cuisson quelques minutes.

• Poivrer et servir.

●

1

Dans l'huile chaude, faire revenir l'oignon, l'ail, le cumin, le cari et le gingembre.

2

Ajouter le bouillon de volaille, la carotte et le jus de tomate, et faire cuire.

3

Ajouter la pomme de terre.

4

Incorporer le maïs, couvrir et poursuivre la cuisson. Poivrer.

SOUPE aux LENTILLES ET aux ÉPINARDS

4 PORTIONS

Les lentilles sèches n'ont pas besoin d'une période de trempage avant la cuisson. Elles constituent une source économique de protéines, de fer et de fibres.

1 litre	bouillon de volaille **ou** de légumes
540 g	tomates en conserve, coupées en dés
500 g	lentilles en conserve, égouttées **ou** 420 g lentilles cuites
2	branches de céleri, hachées
1	carotte, coupée en dés
2	oignons, émincés
2	gousses d'ail, émincées
300 g	épinards, hachés
1 c. à s.	jus de citron
	poivre

GARNITURE

25 g	cheddar râpé
1 c. à c.	poudre de cari
2	tranches de pain de mie de blé entier, grillées et coupées en dés

• Dans une casserole, porter à ébullition le bouillon, les tomates, les lentilles, le céleri, la carotte, les oignons et l'ail.

• Baisser le feu, couvrir et laisser mijoter 5 minutes.

• Incorporer les épinards et laisser mijoter 4 minutes.

• Ajouter le jus de citron, poivrer, garnir de fromage râpé, de poudre de cari et de dés de pain grillé et servir.

CONSEIL

Passez la soupe au robot ménager pour obtenir une excellente crème.

CONSEIL

Vous pouvez utiliser une laitue légèrement flétrie pour préparer cette recette.

CRÈME DE VOLAILLE À LA LAITUE

•

4 PORTIONS

3 c. à s.	beurre
½	blanc de poireau, émincé
1	carotte moyenne, émincée
1	branche de céleri, émincée
1	petit oignon, émincé
2 c. à s.	farine
1,25 dl	lait
¾ litre	bouillon de volaille
1	pincée de thym en poudre
1	feuille de laurier
1	feuille de sauge *ou* 1 pincée de sauge en poudre
½	laitue
1	pincée de paprika
150 g	poulet *ou* dinde cuit et coupé en cubes
	poivre

• Dans une casserole, faire fondre le beurre à feu doux. Y faire revenir les légumes, sauf la laitue, 3 à 4 minutes. Saupoudrer de farine et bien mélanger.

• Incorporer graduellement le lait et le bouillon. Ajouter le thym, le laurier, la sauge et le poivre; laisser mijoter à feu doux, environ 15 minutes.

• Ajouter les feuilles de laitue et mélanger au robot ménager.

• Remettre dans la casserole, ajouter le paprika et le poulet en cubes. Faire réchauffer et servir très chaud.

CHAUDRÉE DE CRABE

●

6 PORTIONS

---

1 c. à s.	huile de maïs
1	oignon, haché finement
100 g	champignons hachés finement
½ c. à c.	thym séché
200 g	bouquets de brocoli hachés finement
1	poivron rouge, épépiné et haché finement
½ litre	bouillon de volaille
½ litre	lait
370 g	maïs en crème en conserve
180 g	chair de crabe
600 g	riz cuit
	poivre

• Dans une poêle à revêtement antiadhésif, faire chauffer l'huile à feu moyen.

• Y faire cuire l'oignon et les champignons, environ 6 minutes; parfumer au thym. Ajouter le brocoli et le poivron et poursuivre la cuisson 4 minutes.

• Incorporer le bouillon de volaille, le lait et le maïs en crème. Faire cuire 5 à 7 minutes. Ajouter la chair de crabe et le riz. Faire cuire 2 minutes.

• Poivrer, garnir d'épis de mais miniatures, si désiré, et servir.

●

SOUPE FROIDE À L'AVOCAT ET AU SAUMON FUMÉ

●

6 PORTIONS

2	avocats, pelés et dénoyautés
2 c. à s.	jus de citron
125 g	crème aigre *ou* yaourt nature
¾ litre	bouillon de volaille
¼ c. à c.	tabasco
60 g	saumon fumé, coupé en morceaux
4	tranches de pain de mie de blé entier, grillées et coupées en dés
	poivre

• Au robot ménager, réduire en crème les avocats, le jus de citron, la crème aigre, le bouillon de volaille et le tabasco.

• Verser la soupe dans une soupière. Poivrer, couvrir d'une pellicule plastique et réfrigérer au moins 1 heure.

• Incorporer la moitié du saumon fumé; bien mélanger.

• Garnir du reste de saumon fumé et de croûtons. Servir.

●

POTAGE AUX ÉPINARDS

4 PORTIONS

1 c. à s.	huile de maïs
1 c. à c.	graines de cumin
1	gousse d'ail, hachée finement
300 g	épinards déchiquetés
6,25 dl	bouillon de volaille
125 g	crème aigre
135 g	yaourt nature
	poivre

• Dans une grande casserole, faire chauffer l'huile et y faire légèrement dorer le cumin, à feu moyen.

• En remuant, ajouter l'ail, puis les épinards. Baisser le feu à doux et laisser cuire 5 minutes.

• Mouiller avec le bouillon de volaille, porter à ébullition et laisser mijoter à feu doux, 10 à 15 minutes. Retirer du feu.

• Petit à petit, incorporer la crème aigre et le yaourt. Poivrer. Servir chaud ou froid.

SOUPE LÉGÈRE
AUX FINES HERBES

●

4 PORTIONS

1 c. à s.	beurre
125 g	céleri haché finement
10 g	ciboulette hachée finement
½ litre	bouillon de volaille
1 c. à s.	persil haché
1 c. à c.	estragon
1 c. à c.	basilic
½ litre	lait
2 c. à s.	parmesan râpé
	poivre

• Faire fondre le beurre dans une casserole. À feu doux, y faire revenir le céleri et la ciboulette 3 à 4 minutes, en remuant avec une cuillère de bois.

• Incorporer le bouillon de volaille et les fines herbes.

• Porter à ébullition, poivrer et laisser mijoter 10 minutes environ.

• Ajouter le lait petit à petit, en remuant sans cesse, et poursuivre la cuisson quelques minutes à feu doux.

• Juste avant de servir, parsemer de parmesan râpé.

●

Pour une texture plus veloutée, ajoutez une pomme de terre en purée ou un peu de fécule de maïs préalablement diluée dans de l'eau froide.

CONSEIL

Remplacez l'estragon et le basilic par d'autres fines herbes de votre choix.

CHAUDRÉE DE MAÏS ORIGINALE

●

4 PORTIONS

———

2	carottes, râpées
1	grosse pomme de terre, épluchée et coupée en dés
½	poivron vert, coupé en dés
5 dl	bouillon de volaille *ou* lait
300 g	maïs en crème en conserve
250 g	fromage fondu
6	saucisses fumées, coupées en rondelles
1 c. à c.	persil haché

———

• Dans une casserole, mettre les carottes, la pomme de terre, le poivron vert et le bouillon. Porter à ébullition.

• Couvrir et laisser mijoter 8 à 10 minutes à feu moyen, jusqu'à ce que les légumes soient tendres.

• Incorporer le maïs en crème, le fromage fondu et les saucisses fumées. Faire chauffer en remuant de temps en temps. Parsemer de persil et servir.

●

MINESTRONE
ALLA CASALINGA

●

4 À 6 PORTIONS

3 c. à s.	huile d'olive
2	oignons, hachés
2	gousses d'ail, écrasées
2 à 3	tranches de bacon
4	tomates, mondées, épépinées et coupées finement
100 g	haricots blancs *ou* rouges, cuits *ou* en conserve, égouttés
2 litres	bouillon de volaille *ou* eau
½ c. à c.	marjolaine *ou* basilic
1	pincée de thym
2	carottes, coupées en dés
1 à 2	pommes de terre, épluchées et coupées en dés
1	petit navet, pelé et coupé en dés
1 à 2	branches de céleri, coupées finement
90 g	chou coupé en lanières
60 g	macaroni coupé *ou* petites pâtes
1 c. à s.	persil haché grossièrement
	sel et poivre
	parmesan râpé

• Faire chauffer l'huile dans une casserole et y faire revenir quelques minutes, à feu moyen-vif, les oignons, l'ail et le bacon.

• Ajouter les tomates et les haricots. Mouiller avec le bouillon, parfumer à la marjolaine et au thym. Couvrir et laisser mijoter 1 heure environ.

• Ajouter les carottes, laisser cuire 10 minutes. Incorporer les pommes de terre, le navet, le céleri, le chou et les pâtes; faire cuire jusqu'à ce que les pâtes soient cuites et les légumes, tendres.

• Assaisonner, garnir de persil, parsemer de parmesan râpé et servir.

●

COMMENT DÉCORTIQUER UN HOMARD CUIT

Retirer les pinces en les tournant.

Les briser avec un grand couteau ou une pince à homard. Retirer la chair.

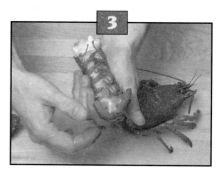

Détacher la queue en la retournant sur elle-même. Presser ensuite la carapace pour la craquer.

Retirer la chair.

CHAUDRÉE DE HOMARD ET DE POISSON

—●—

6 PORTIONS

———

1 c. à s.	beurre
1	oignon, haché
2	branches de céleri, coupées en dés
325 g	pommes de terre, épluchées et coupées en dés
½ litre	eau
450 g	filets de poisson, détaillés en dés
¾ litre	lait
325 g	chair de homard, détaillée en morceaux
370 g	maïs en grains en conserve, égoutté
1	pincée de paprika
1	pincée de poivre de Cayenne (facultatif)
3 c. à s.	sbrinz *ou* parmesan râpé
3	tranches de pain de mie de blé entier, grillées, coupées en dés
	persil haché
	poivre

———

• Dans une casserole, faire fondre le beurre et y faire sauter l'oignon et le céleri 2 à 3 minutes, à feu moyen-vif.

• Ajouter les pommes de terre, l'eau et le poivre. Couvrir et laisser mijoter 10 minutes ou jusqu'à ce que les pommes de terre soient presque tendres.

• Ajouter les morceaux de poisson, couvrir et laisser mijoter 5 minutes.

• Mouiller avec le lait et incorporer délicatement la chair de homard, le maïs, le paprika et le poivre de Cayenne. Bien faire chauffer doucement sans laisser bouillir.

• Garnir de persil, parsemer de fromage râpé et servir avec des croûtons, si désiré.

—●—

Préparer la chair de homard.

Couper les filets de poisson.

Faire sauter l'oignon et le céleri dans le beurre. Ajouter les pommes de terre, l'eau et le poivre.

Incorporer la chair de homard, le maïs, le paprika et le poivre de Cayenne.

SOUPE À LA VOLAILLE ET AU RIZ

•

2 PORTIONS

———

½ litre	bouillon de volaille
50 g	riz à grains longs
20 g	échalotes nouvelles hachées finement
3 c. à s.	beurre
45 g	farine
¼ c. à c.	sauge séchée
1	pincée de poivre
¼ litre	crème fleurette *ou* babeurre
115 g	poulet *ou* dinde cuit et coupé en dés
2	tranches de bacon, cuites, croustillantes, essuyées et émiettées
2 c. à s.	poivre vert haché
2 c. à s.	xérès (facultatif)
	croûtons

———

• Verser le bouillon de volaille dans une casserole. Ajouter le riz et les échalotes nouvelles. Porter à ébullition, baisser le feu, couvrir et laisser mijoter 20 à 30 minutes ou jusqu'à ce que le riz soit tendre.

• Dans une casserole de grandeur moyenne, faire fondre le beurre à feu moyen. Y mélanger la farine, la sauge et le poivre. Faire cuire 1 minute, en remuant. Incorporer graduellement la crème et poursuivre la cuisson en remuant, jusqu'à l'obtention d'un léger épaississement.

• Toujours en remuant, incorporer délicatement au mélange au riz. Ajouter le reste des ingrédients. Faire chauffer doucement, en remuant souvent, sans laisser bouillir.

• Garnir de croûtons et servir immédiatement.

•

Ajouter le riz et les échalotes nouvelles au bouillon de volaille.

Faire fondre le beurre; y mélanger la farine, la sauge et le poivre. Incorporer graduellement la crème.

Incorporer délicatement au mélange au riz, ainsi que les autres ingrédients.

Garnir de croûtons.

CRÈME D'ORGE

4 PORTIONS

200 g	orge perlé
1 litre	bouillon de volaille
2	branches de céleri, émincées
1,25 dl	lait
1,25 dl	crème fleurette
1	pincée de sel de céleri
	poivre blanc

• Dans un bol, couvrir l'orge d'eau tiède; laisser tremper 1 heure.

• Dans une casserole, verser le bouillon de volaille. Égoutter l'orge et le mettre dans le bouillon. Ajouter le céleri. Porter à ébullition, baisser le feu et laisser mijoter 1 heure.

• Filtrer la soupe à travers un chinois. Remettre le liquide dans la casserole.

• Ajouter le lait, la crème et les assaisonnements. Faire réchauffer doucement et servir.

CONSEIL

Pour obtenir un potage plus léger, remplacez la crème par du lait et ajoutez 1 c. à s. d'épaississant pour sauces.

66

POTAGE AU CÉLERI ET AU CARI

•

4 PORTIONS

1	oignon, coupé en quatre
1	gousse d'ail
2 c. à s.	beurre
2 c. à c.	poudre de cari
2 c. à s.	farine
¾ litre	bouillon de volaille
½	pied de céleri avec feuilles, haché grossièrement
1	pomme de terre, épluchée et coupée en dés
3 c. à s.	crème fleurette *ou* babeurre (facultatif)
25 g	fromage râpé
4	tranches de pain blanc, grillées
	poivre

• Au robot ménager, hacher finement l'oignon et l'ail; réserver.

• Dans une casserole, faire chauffer le beurre. À feu moyen-vif, y faire revenir l'oignon et l'ail hachés, 2 minutes. Parfumer au cari, saupoudrer de farine et bien remuer.

• Ajouter le bouillon en remuant continuellement, jusqu'à l'obtention d'un léger épaississement.

• Incorporer le céleri et la pomme de terre; faire cuire 20 minutes à feu doux, ou jusqu'à ce que les légumes soient bien tendres.

• Mélanger au robot ménager pour obtenir une texture crémeuse. Remettre dans la casserole, faire réchauffer et assaisonner.

• Juste avant de servir, incorporer la crème en remuant sans cesse.

• Garnir de fromage les tranches de pain grillées, faire gratiner au four et servir avec le potage.

•

CONSEIL

Remplacez le bouillon de volaille par du bouillon de légumes et ajoutez un peu de jus de tomate.

GOULACHE

2 PORTIONS

1 c. à s.	**huile végétale**
250 g	**bœuf à ragoût maigre, détaillé en dés**
1	**oignon, haché**
1	**gousse d'ail, hachée**
1	**bouquet garni**
1 c. à s.	**paprika**
6,25 dl	**bouillon de volaille**
125 g	**tomates en conserve, broyées**
½	**poivron vert, épépiné et tranché**
½	**branche de céleri, hachée finement**
1	**pomme de terre, épluchée et coupée en petits dés**
	persil haché

• Dans une grande casserole, faire chauffer l'huile. À feu moyen-vif, y faire revenir le bœuf et dorer l'oignon.

• Parfumer à l'ail, ajouter le bouquet garni et saupoudrer de paprika. Mouiller avec le bouillon et porter à ébullition. Baisser le feu, couvrir et laisser mijoter 45 à 50 minutes.

• Incorporer les tomates, le poivron, le céleri et la pomme de terre. Couvrir et laisser mijoter 15 minutes.

• Juste avant de servir, garnir de persil frais.

CONSEIL

Ajoutez ½ c. à c. de graines de carvi en même temps que le bouillon de volaille.

CRÈME DE CONCOMBRES

●

4 PORTIONS

———

2 c. à s.	beurre
1	oignon, haché
1	gousse d'ail, hachée
3	concombres moyens, pelés, épépinés et coupés grossièrement
3 c. à s.	farine
1 litre	bouillon de volaille
4	feuilles de menthe, hachées finement
1,25 dl	crème fleurette
1 c. à s.	persil haché
2 c. à s.	poivrons rouge et vert coupés en dés
	poivre

———

• Dans une casserole, faire fondre le beurre. À feu moyen, y faire revenir l'oignon 2 à 3 minutes.

• Ajouter l'ail et les concombres. Poivrer et poursuivre la cuisson 4 à 5 minutes.

• Saupoudrer de farine et bien remuer.

• Incorporer petit à petit le bouillon de volaille et faire mijoter jusqu'à ce que les légumes soient tendres. Parsemer de menthe.

• Mélanger au robot ménager, puis faire réchauffer.

• Juste avant de servir, ajouter la crème en remuant sans cesse. Garnir du persil et des poivrons.

●

SOUPE AUX CAROTTES

●

2 PORTIONS

---

1 c. à s.	beurre
1	gousse d'ail, écrasée
1	oignon, haché finement
450 g	carottes, râpées grossièrement
1 litre	bouillon de volaille
2 c. à s.	jus d'orange non sucré
2 c. à s.	épaississant pour sauces
¼ litre	lait
20 g	croûtons
	persil haché
	zeste de 1 orange
	poivre

• Faire fondre le beurre dans une casserole. Y ajouter l'ail, l'oignon et les carottes râpées, remuer, couvrir et faire cuire 5 minutes, à feu doux.

• Incorporer le bouillon de volaille, le jus et le zeste d'orange. Poivrer, couvrir et laisser mijoter 25 minutes, à feu doux.

• Incorporer l'épaississant pour sauces et poursuivre la cuisson 5 minutes environ.

• Passer la soupe au robot ménager, ajouter le lait et faire réchauffer.

• Juste avant de servir, garnir de croûtons et de persil haché, si désiré.

●

Une seule carotte comble les besoins d'une personne en vitamine A pour la journée. La vitamine A se retrouve, entre autres, dans les légumes oranges et vert foncé, le foie, le lait et les jaunes d'œufs.

SOUPE AUX LÉGUMES ET À LA SAUCISSE

●

6 À 8 PORTIONS

¾ litre	bouillon de volaille
1	oignon moyen, haché
225 g	poireaux hachés *ou* coupés en julienne
240 g	pommes de terre épluchées et coupées en dés
150 g	chou vert haché
250 g	tomates en conserve, égouttées et hachées
4	saucisses, coupées en morceaux de 1 cm
¼ litre	lait
	poivre
	échalotes nouvelles, émincées

• Verser le bouillon de volaille dans une casserole et porter à ébullition. Ajouter l'oignon, les poireaux et les pommes de terre. Baisser le feu, couvrir et laisser mijoter environ 20 minutes, ou jusqu'à ce que les légumes soient tendres.

• Incorporer le chou, les tomates et les saucisses. Faire cuire 5 à 8 minutes, ou jusqu'à ce que les légumes soient tendres. Ajouter le lait en remuant; poivrer.

• Garnir d'échalotes nouvelles, juste avant de servir.

●

CONSEIL

Doublez la recette et congelez-la par portions.

POTAGE ROUGEMONT

4 À 6 PORTIONS

2 c. à s.	beurre
340 g	oignons hachés
250 g	pommes évidées, pelées et coupées en morceaux
2	gousses d'ail, hachées
½ c. à c.	thym séché
1	feuille de laurier
1 c. à c.	coriandre hachée
1 litre	bouillon de volaille
½ dl	babeurre
1 c. à c.	menthe hachée (garniture)
	poivre

• Dans une casserole, faire fondre le beurre et y faire revenir les oignons pendant quelques minutes.

• Ajouter les pommes, l'ail, le thym, le laurier et la coriandre.

• Faire cuire 10 minutes environ, jusqu'à ce que les oignons soient dorés.

• Ajouter le bouillon de volaille et porter à ébullition. Baisser le feu, couvrir et laisser mijoter 15 à 20 minutes.

• Incorporer le babeurre et laisser mijoter 1 minute. Retirer la feuille de laurier et poivrer.

• Mélanger au robot ménager. Garnir de menthe. Servir chaud ou froid.

POTAGE PARMENTIER
AUX ÉCHALOTES NOUVELLES

●

4 PORTIONS

50 g	beurre
10	échalotes nouvelles, émincées
1 litre	bouillon de volaille
325 g	pommes de terre épluchées et coupées en dés
¼ c. à c.	poivre
½ dl	vin blanc sec (facultatif)
¼ litre	crème fleurette
	ciboulette ciselée

• Dans une casserole, faire fondre le beurre. Y faire revenir, sans colorer, les échalotes nouvelles 15 minutes, ou jusqu'à ce qu'elles soient tendres. Ajouter le bouillon de volaille et les pommes de terre; faire cuire 20 à 30 minutes. Poivrer.

• Au robot ménager, réduire le mélange en crème, puis incorporer le vin. Remettre dans la casserole et porter à ébullition.

• Ajouter la crème tout en remuant et faire réchauffer sans faire bouillir. Rectifier l'assaisonnement, si nécessaire. Juste avant de servir, garnir de ciboulette.

●

CONSEIL

Convertissez ce potage en soupe-repas en y ajoutant des dés de viande cuite : jambon, poulet, bœuf.

CONSEIL

Garnissez cette crème de croûtons nature ou à l'ail; ajoutez une touche de paprika pour la colorer et la relever, et servez-la comme soupe-repas.

CRÈME DE MOULES ET DE POIREAUX

4 PORTIONS

1 kg	moules, brossées et ébarbées
1,75 dl	vin blanc sec
2	blancs de poireaux, émincés
4	pommes de terre, épluchées et coupées en dés
1 c. à s.	thym haché *ou* 1 c. à c. thym séché
3,75 dl	lait
1 c. à s.	fécule de maïs, diluée dans un peu d'eau
1	poivron rouge, coupé en dés
2 c. à s.	persil haché
	poivre fraîchement moulu

• Mettre les moules et le vin blanc dans une casserole, couvrir et porter à ébullition. Dès que les moules sont ouvertes, les retirer de la casserole, les laisser tiédir, puis les retirer de leur coquille. Jeter celles qui ne sont pas ouvertes et réserver les autres.

• Filtrer le jus de cuisson à travers une étamine ou un chinois et le verser de nouveau dans la casserole.

• Ajouter les poireaux et les pommes de terre et faire cuire 20 à 25 minutes, à feu moyen. Parfumer au thym et poivrer.

• Incorporer le lait, faire mijoter 5 minutes et lier avec la fécule de maïs.

• Ajouter les moules, le poivron et le persil. Servir très chaud.

POTAGE AUX CHAMPIGNONS ET À L'ORGE À L'ANCIENNE

●

4 À 6 PORTIONS

―――――

1 litre	bouillon de volaille
40 g	orge mondée *ou* écossaise
1	feuille de laurier
2	grosses carottes, hachées
1	branche de céleri avec les feuilles, hachée
1	oignon moyen, haché
1	pomme de terre, non épluchée et coupée en dés
2	gousses d'ail, émincées
¼ c. à c.	thym séché
150 g	champignons émincés
	poivre

―――――

• Dans une grande casserole, mettre le bouillon, l'orge et la feuille de laurier. Porter à ébullition, couvrir à demi et laisser mijoter ½ heure.

• Ajouter les carottes, le céleri, l'oignon, la pomme de terre, l'ail et le thym. Couvrir et poursuivre la cuisson 25 minutes. Ajouter ensuite les champignons et laisser mijoter 5 minutes, ou jusqu'à ce que les légumes soient tendres.

• Poivrer, retirer la feuille de laurier et servir.

●

CRÈME DE BETTERAVES

●

2 PORTIONS

1 c. à s.	beurre
½	oignon, haché finement
½ litre	bouillon de volaille
2 c. à s.	riz
1	grosse betterave, mi-cuite, pelée et coupée en morceaux
1 c. à s.	vinaigre de vin rouge *ou* aromatisé aux fruits
½ c. à c.	moutarde forte
1	jaune d'œuf
3 c. à s.	crème fleurette
2 c. à s.	persil haché
	poivre fraîchement moulu
	croûtons

• Faire fondre le beurre dans une casserole, à feu doux. Ajouter l'oignon; faire cuire 3 minutes. Mouiller avec le bouillon de volaille, ajouter le riz et porter à ébullition. Ajouter la betterave et le vinaigre, poivrer et laisser mijoter 20 minutes.

• Au robot ménager, réduire le mélange en crème. Filtrer à travers un chinois et verser dans une casserole. Rectifier l'assaisonnement si nécessaire. Incorporer la moutarde en fouettant. Remettre sur le feu et porter à ébullition.

• Dans un petit bol, à l'aide d'un fouet ou d'une fourchette, délayer le jaune d'œuf dans la crème. Incorporer au mélange dans la casserole, en remuant sans cesse. Garnir de persil et de croûtons, si désiré. Servir immédiatement.

●

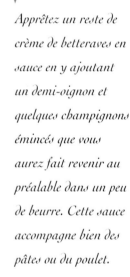

Apprêtez un reste de crème de betteraves en sauce en y ajoutant un demi-oignon et quelques champignons émincés que vous aurez fait revenir au préalable dans un peu de beurre. Cette sauce accompagne bien des pâtes ou du poulet.

L E S
Salades

SALADE DE POULET PARFUMÉE AU GINGEMBRE

●

6 PORTIONS

3	poitrines de poulet de 250 g chacune, désossées et sans peau
3 dl	vin blanc sec
3 dl	eau
1 c. à c.	poivre noir en grains
4 c. à s.	persil haché finement
2	branches de céleri, hachées finement
¼	melon d'hiver, pelé et coupé en morceaux
5 c. à s.	mayonnaise
180 g	yaourt nature
5 c. à s.	jus de citron
2 c. à c.	miel
1 c. à c.	racine de gingembre pelée et râpée
	feuilles de céleri
	zeste râpé de 1 citron
	poivre

• Mettre le poulet, le vin et l'eau dans une casserole. Ajouter le poivre en grains et les feuilles de céleri pour parfumer. Porter à ébullition et poursuivre la cuisson à feu doux, jusqu'à ce que le poulet soit cuit.

• Retirer le poulet du bouillon et trancher la chair en bouchées.

• Mettre le poulet, le persil et le céleri dans un saladier. Ajouter le melon. Réserver.

• Dans un petit bol, mélanger la mayonnaise, le yaourt, le jus et le zeste de citron et le miel. Ajouter le gingembre et poivrer.

• Verser sur la salade et servir.

●

SALADE D'ÉPINARDS ET DE CHOU ROUGE

●

4 PORTIONS

40 g	noix de pecan hachées grossièrement
300 g	feuilles d'épinards, déchiquetées
150 g	chou rouge émincé
½	oignon rouge, émincé
4 c. à c.	vinaigre de vin rouge *ou* aromatisé aux fruits
½ c. à c.	moutarde à l'ancienne *ou* moutarde forte
3 c. à s.	huile d'olive
3 c. à s.	babeurre
	poivre fraîchement moulu

• Préchauffer le four à 200 °C.

• Étaler les noix de pecan sur une tôle et les faire griller au four 8 minutes, en remuant une fois. Laisser refroidir et réserver.

• Dans un grand saladier, mélanger les épinards, le chou rouge et l'oignon. Réfrigérer jusqu'au moment de servir.

• Dans un petit bol, mélanger le vinaigre et la moutarde. Incorporer l'huile et le babeurre. Poivrer.

• Juste avant de servir, incorporer la vinaigrette à la salade. Garnir de noix de pecan grillées.

●

Grâce à sa teneur élevée en vitamine C, le chou rouge favorise l'absorption du fer contenu dans les épinards.

CONSEIL

Ajoutez des quartiers d'orange pelés à vif et coupés en dés.

SALADE AUX POMMES

●

4 PORTIONS

―――――――

2	petites laitues pommées
1	pomme, pelée
2 c. à s.	jus de citron
2	œufs durs, en quartiers *ou* tranchés
100 g	gruyère, en julienne *ou* coupé en dés
1 c. à c.	moutarde forte
1 c. à s.	huile de maïs
1 c. à s.	vinaigre
1 c. à s.	eau
	poivre
	ciboulette ciselée

―――――――

• Laver et déchiqueter les laitues. Couper la pomme en petits dés et l'arroser avec 1 c. à s. de jus de citron.

• Mettre dans un saladier les laitues, la pomme, les œufs et le fromage.

• Dans un petit bol, bien mélanger la moutarde, le reste du jus de citron, l'huile, le vinaigre et l'eau. Poivrer.

• Napper la salade de vinaigrette, mélanger délicatement, garnir de ciboulette et servir.

●

Laver et déchiqueter les laitues. Couper la pomme en petits dés et arroser de jus de citron.

Mettre les laitues, la pomme, les œufs et le fromage dans un saladier.

Préparer la vinaigrette.

Verser sur la salade, mélanger délicatement et garnir de ciboulette.

SALADE DE RIZ ET DE VIANDES FROIDES

●

4 PORTIONS

───

150 g	viandes froides coupées en dés
60 g	céleri coupé en dés
2	échalotes nouvelles, hachées
300 g	riz cuit

SAUCE

200 g	yaourt nature
2 c. à s.	jus de tomate
½ c. à c.	coriandre hachée
1	gousse d'ail, hachée

GARNITURE

feuilles de laitue
radis, tranchés

───

• Dans un saladier, mélanger les viandes froides, le céleri, les échalotes nouvelles et le riz. Réserver.

• Préparer la sauce en mélangeant bien le yaourt, le jus de tomate, la coriandre et l'ail.

• Verser la sauce sur les viandes froides et le riz, mélanger, couvrir et réfrigérer 2 heures.

• Tapisser 4 assiettes de feuilles de laitue, garnir de la préparation refroidie et de rondelles de radis.

●

SALADE DE **COURGETTES** AU **YAOURT**

●

4 PORTIONS

———

150 g	courgettes émincées finement
1 c. à s.	estragon haché
1 c. à s.	persil haché
4	feuilles de laitue frisée
4	feuilles de trévise, déchiquetées
4 c. à s.	ciboulette ciselée

VINAIGRETTE

5 c. à s.	yaourt nature
2 c. à s.	jus de citron
2 c. à c.	vinaigre de vin rouge *ou* aromatisé aux fruits
1 c. à c.	moutarde forte
1	gousse d'ail, hachée finement
2 c. à s.	huile d'olive
1½ c. à c.	bouillon de volaille
	poivre fraîchement moulu

———

• Dans un bol, mélanger les courgettes, 1 c. à c. d'estragon et 1 c. à c. de persil. Réserver.

• Dans un saladier, mélanger les laitues, les restes de l'estragon et du persil et la ciboulette. Réserver.

• Pour préparer la vinaigrette, à l'aide d'un fouet, mélanger le yaourt, le jus de citron, le vinaigre, la moutarde et l'ail. Incorporer l'huile et le bouillon de volaille. Poivrer.

• Mélanger la moitié de la vinaigrette aux courgettes et l'autre moitié, aux laitues. Dresser les laitues dans un plat de présentation en disposant les courgettes au centre et servir.

●

Laissez aller votre imagination et ajoutez des garnitures de votre choix : olives vertes ou noires hachées, persil haché, croûtons nature ou à l'ail, fromage râpé, julienne de jambon, etc.

SALADE AU BŒUF ET À L'ORANGE

4 PORTIONS

1 c. à s.	sauce soja légère *ou* tamari
1	gousse d'ail, hachée
1 c. à s.	huile de maïs
250 g	romsteck, émincé
1	laitue romaine, déchiquetée
2	grosses oranges, pelées à vif, tranchées
1 c. à s.	persil haché

VINAIGRETTE

½ dl	huile de maïs
½ dl	jus d'orange non sucré
2 c. à s.	mayonnaise
	sel et poivre

• Dans un plat creux, mélanger la sauce soja, l'ail et l'huile de maïs. Ajouter le bœuf, mélanger et laisser mariner 1 heure au réfrigérateur.

• Retirer le bœuf de la marinade et, sans ajouter de corps gras, le faire griller dans une poêle à revêtement antiadhésif 2 à 3 minutes, à feu vif.

• Dresser la laitue dans des assiettes. Garnir de bœuf et de tranches d'orange. Parsemer de persil; réserver.

• Dans un bol, bien mélanger tous les ingrédients de la vinaigrette. Servir à part, avec la salade.

SALADE DE FENOUIL ET DE CAROTTES

●

4 À 6 PORTIONS

———

12	radis
3	branches de fenouil, coupées finement
1	pomme, évidée et coupée en dés
2	carottes, coupées en fine julienne
1 c. à s.	jus de citron
6 c. à s.	yaourt nature

———

• Faire tremper les radis dans de l'eau très froide, 2 à 3 heures. Égoutter et réserver.

• Dans un saladier, mélanger le fenouil, la pomme et les carottes.

• Bien incorporer le jus de citron et le yaourt.

• Dresser dans des assiettes et garnir de radis.

Cuit ou cru, le fenouil peut s'utiliser comme le céleri; par contre il a l'avantage de contenir beaucoup plus de vitamines C et A. Son léger goût anisé se marie très bien avec les poissons et parfume incomparablement les salades.

SALADE DE DINDE FETA

4 PORTIONS

250 g	laitue romaine, déchiquetée
300 g	dinde cuite, sans peau et coupée en dés
120 g	feta, émiettée grossièrement
½	concombre, coupé en quartiers puis en tranches
8	radis, tranchés
8	olives noires, dénoyautées
½	tomate, coupée en dés
	persil, haché grossièrement

VINAIGRETTE

1	gousse d'ail, hachée
1 c. à c.	basilic séché
1 c. à c.	moutarde forte *ou* moutarde à l'ancienne
2 c. à s.	jus de citron
2 c. à s.	vinaigre de vin rouge *ou* aromatisé aux fruits
½ dl	huile d'olive *ou* végétale
	poivre

• Répartir la laitue entre 4 assiettes.

• Dans un saladier, mélanger délicatement la dinde, le fromage, le concombre, les radis, les olives et les dés de tomate. Garnir la laitue de ce mélange.

• Dans un petit bol, bien mélanger tous les ingrédients de la vinaigrette.

• Arroser chaque portion de salade de vinaigrette.

• Garnir de persil. Servir.

SALADE DE RAVIOLIS À LA NIÇOISE

4 PORTIONS

———

250 g	mini-raviolis farcis au fromage *ou* à la viande, cuits
3	tomates, tranchées finement *ou* 12 tomates cerises, coupées en quartiers
1	concombre, tranché finement
2	œufs durs, coupés en quartiers
1	poivron vert, coupé en lanières
1	poivron rouge, coupé en lanières
50 g	filets d'anchois, émincés (facultatif)
60 g	olives noires, coupées en deux *ou* en quatre
1	oignon moyen, émincé

VINAIGRETTE

2 c. à s.	vinaigre de vin rouge *ou* aromatisé aux fruits
1 c. à c.	moutarde forte
1	gousse d'ail, hachée finement
2 c. à s.	persil haché
6 c. à s.	huile d'olive
	poivre

———

• Dans un saladier, mélanger tous les ingrédients de la vinaigrette.

• Ajouter les raviolis, les tomates, le concombre, les œufs durs, les poivrons, les anchois, les olives et l'oignon.

• Remuer délicatement et servir tiède ou froid.

Pour dessaler les filets d'anchois, les rincer à l'eau froide et les égoutter sur du papier absorbant.

SALADE ITALO-HONGROISE

●

4 PORTIONS

---

175 g	rigatoni
1 c. à s.	huile d'olive
2	poivrons verts
2	poivrons rouges
250 g	salami, coupé en tranches
75 g	olives noires, entières *ou* en morceaux dénoyautées
4	échalotes nouvelles, émincées

VINAIGRETTE

½ dl	vinaigre de vin aromatisé à l'échalote
2 c. à s.	persil haché finement
¼ c. à c.	origan séché
¼ c. à c.	basilic séché
1	pincée de piment fort broyé
3 c. à s.	eau
3 c. à s.	huile d'olive
	sel et poivre

• Faire cuire les pâtes dans de l'eau bouillante salée. Les égoutter, les rincer, et les égoutter de nouveau, puis les arroser d'huile d'olive.

• Disposer les poivrons sur une tôle et les faire griller au four à environ 10 cm de la rampe du gril. Les retourner aux 5 minutes, jusqu'à ce que leur peau soit presque brûlée. Bien les enfermer dans un sac de papier brun et les faire suer environ 20 minutes.

• Peler et épépiner les poivrons, puis les découper en lanières de 2,5 cm de large. Les mélanger aux pâtes dans un saladier, puis incorporer le salami, les olives et les échalotes nouvelles.

• Dans un bol, mélanger le vinaigre, le persil, l'origan, le basilic, le piment, l'eau, le sel et le poivre. Incorporer l'huile au fouet. Arroser la salade de vinaigrette et mélanger. Laisser reposer 1 heure à la température ambiante ou plus longtemps au réfrigérateur.

●

1

Faire cuire les pâtes, les égoutter, les rincer, les égoutter de nouveau, puis les arroser d'huile d'olive.

2

Faire griller les poivrons et les enfermer dans un sac de papier brun.

3

Aux pâtes et aux poivrons, incorporer le salami, les olives et les échalotes nouvelles.

4

Arroser la salade de vinaigrette et mélanger. Laisser reposer 1 heure à la température ambiante.

SALADE TIÈDE D'ÉPINARDS ET D'ORANGES

●

4 PORTIONS

2	oranges détaillées en quartiers pelés à vif (réserver le jus)
600 g	épinards, lavés et bien égouttés
1 c. à s.	huile de maïs
1	oignon, haché finement
½ dl	vinaigre balsamique, de vin rouge *ou* aromatisé aux fruits
1 c. à c.	estragon séché
1 c. à c.	zeste d'orange en fine julienne
2 c. à s.	sbrinz *ou* parmesan râpé
2	tranches de pain de mie, grillées et coupées en dés

• Dans un bol, mélanger les quartiers d'orange et leur jus. Réserver.

• Mettre les épinards dans un saladier. Réserver.

• Dans une poêle, dans l'huile, faire chauffer à couvert l'oignon, le vinaigre, l'estragon et le zeste d'orange, jusqu'à ce que l'oignon soit tendre.

• Ajouter graduellement les quartiers d'orange et leur jus. Bien mélanger.

• Verser sur les épinards. Mélanger délicatement.

• Parsemer de fromage, garnir de croûtons et servir.

●

SALADE DE POULET À L'ORANGE

●

3 PORTIONS

─────────────

2	oranges détaillées en quartiers pelés à vif
180 g	blanc de poulet coupé en cubes
6	tranches de saucisson, coupées en lamelles
20 g	germes de luzerne
180 g	germes de soja
3 c. à s.	jus d'orange non sucré
1 c. à s.	jus de citron
½ c. à c.	sauce soja *ou* tamari
2 c. à s.	mayonnaise
½ c. à c.	gingembre râpé
	persil haché
	noix de cajou, non salées, hachées (facultatif)
	poivre

─────────────

• Dans un saladier, mélanger les quartiers d'orange, le poulet, le saucisson, la luzerne et les germes de soja. Réserver.

• Dans un bol, bien mélanger les jus d'orange et de citron, la sauce soja, la mayonnaise, le poivre et le gingembre.

• Verser sur le premier mélange. Parsemer de persil si désiré, garnir de noix de cajou et servir.

●

FATTOUCHE

●

2 PORTIONS

½	poivron vert coupé en lanières
1 à 2	tomates, coupées en morceaux
6	feuilles de laitue romaine
½	concombre, coupé en rondelles *ou* en dés
6 à 8	radis, coupés en rondelles *ou* en quartiers
2	échalotes nouvelles, émincées
1	gousse d'ail, hachée finement
1	branche de céleri coupée en bâtonnets

VINAIGRETTE

½	oignon, haché
½ c. à c.	sel
1 c. à s.	semak / sumac (facultatif) (voir lexique)
½ dl	huile d'olive
	jus de citron

• Dans un petit bol, mélanger tous les ingrédients de la vinaigrette; réserver.

• Dans un saladier, mélanger tous les autres ingrédients.

• Arroser la salade de vinaigrette et mélanger délicatement. Servir immédiatement.

●

VINAIGRETTE À LA MOUTARDE

●

¼ LITRE

---

1 c. à s.	moutarde à l'ancienne
1 c. à s.	moutarde forte
1 c. à s.	vinaigre de vin rouge
1,75 dl	huile de colza
	poivre

• Dans un bol, à l'aide d'un fouet, mélanger les moutardes, le vinaigre et le poivre.

• Sans cesser de remuer, ajouter l'huile en un mince filet.

• Battre la vinaigrette jusqu'à ce qu'elle soit bien crémeuse.

●

SALADE DE BŒUF TIÈDE, CITRONNÉE

4 PORTIONS

2	tranches d'un reste de viande de bœuf maigre, d'environ 200 g chacune
8	feuilles de laitue pommée *ou* romaine
4	feuilles de trévise
1	endive
40 g	cresson
1	pomme verte, coupée en dés
1	poivron rouge, coupé en lanières
1 c. à s.	jus de citron
½ dl	huile d'olive
	poivre

• Poivrer la viande, puis la faire griller au barbecue ou à la poêle, selon le degré de cuisson désiré. Retirer et laisser reposer 5 minutes.

• Déchiqueter les feuilles de laitue et émincer l'endive. Tailler les tranches de viande en fines lamelles et mélanger avec la laitue, l'endive, le cresson, la pomme et le poivron rouge.

• Ajouter le jus de citron et l'huile d'olive; bien mélanger et servir.

SALADE DE RIZ
AUX CREVETTES

●

6 PORTIONS

½ litre	jus d'orange non sucré
250 g	riz à grains longs
1 c. à c.	beurre
1	poivron vert *ou* rouge, coupé finement
1	oignon, haché finement
100 g	haricots mange-tout, coupés en biseau et cuits à la vapeur
150 g	crevettes rouges, décortiquées, déveinées et cuites
2	oranges détaillées en quartiers pelés à vif

VINAIGRETTE

2 c. à s.	huile de maïs
2 c. à s.	eau
2 c. à s.	vinaigre aromatisé aux fruits
1	pincée de sucre
1	pincée de moutarde en poudre
	poivre

• Dans une casserole, mélanger le jus d'orange, le riz et le beurre. Amener à ébullition et remuer une fois.

• Baisser le feu, couvrir et laisser mijoter 15 à 20 minutes, ou jusqu'à ce que le riz soit tendre et que le jus d'orange soit absorbé.

• Verser le riz dans un saladier et l'aérer légèrement avec une fourchette. Laisser refroidir.

• Ajouter le poivron, l'oignon, les haricots mange-tout et les crevettes. Réserver.

• Dans un bol, mélanger tous les ingrédients de la vinaigrette.

• Verser sur la salade et incorporer délicatement.

• Garnir de quartiers d'orange et servir.

●

SALADE DE COQUILLETTES SURPRISE

●

4 PORTIONS

½	brocoli, cuit *ou* cru, détaillé en petits bouquets
170 g	petits pois cuits
3	tomates, coupées en dés
1	poivron vert *ou* rouge, coupé en dés
3	échalotes nouvelles, hachées
10 à 12	olives noires, tranchées
4	saucisses, cuites, coupées en morceaux
400 g	coquillettes, cuites
3	œufs durs, tranchés
2 c. à s.	persil haché

VINAIGRETTE

½ dl	miel
½ dl	jus de citron
2 c. à c.	vinaigre aromatisé aux fruits *ou* autre
1 c. à c.	moutarde en poudre
½ dl	huile de maïs

• Dans un saladier, mélanger les légumes, les saucisses et les coquillettes. Réserver.

• Dans un bol, bien mélanger tous les ingrédients de la vinaigrette.

• Verser la vinaigrette sur le premier mélange et incorporer délicatement.

• Dresser dans des assiettes préalablement refroidies.

• Garnir de tranches d'œufs durs, parsemer de persil et servir.

●

SALADE DE TOMATES, FENOUIL ET FROMAGE DE CHÈVRE

●

4 PORTIONS

———

3	tomates, pelées, épépinées et coupées en dés (réserver le jus et les pépins)
1	bulbe de fenouil, coupé en deux, puis en lanières
35 g	oignon rouge haché finement
4 c. à s.	feuilles de basilic hachées
80 g	fromage de chèvre émietté
3 c. à s.	vinaigre au vin rouge
5 c. à s.	huile de colza
¼ c. à c.	sel (facultatif)
¼ c. à c.	poivre moulu
4	tranches de pain de mie de blé entier
1	gousse d'ail, coupée en deux

———

• Préchauffer le gril du four.

• Dans un saladier, mélanger les tomates, leur jus et leurs pépins, le fenouil, l'oignon, le basilic et le fromage.

• Ajouter le vinaigre et 2 c. à s. d'huile. Assaisonner et bien mélanger. Réserver.

• Badigeonner avec le reste de l'huile les deux côtés des tranches de pain, puis les passer sous la rampe du gril pour les faire dorer.

• Frotter les tranches de pain grillées avec la gousse d'ail, les laisser refroidir et les détailler en dés.

• Ajouter les dés de pain à la salade et mélanger. Servir.

●

SALADE de DINDON aux PARFUMS de CHINE

4 PORTIONS

OK

½ dl	sauce soja
1 c. à c.	gingembre râpé
1	gousse d'ail, hachée finement
500 g	filet de dindon détaillé en fines lamelles
4 c. à s.	coriandre hachée (facultatif)
125 g	laitue chinoise coupée en lanières
75 g	germes de soja
4	échalotes nouvelles, émincées
100 g	haricots mange-tout, cuits à la vapeur

VINAIGRETTE

30 g	graines de sésame
½ dl	huile d'arachide *ou* végétale
2 c. à s.	huile de sésame
2 c. à s.	vinaigre de riz *ou* de cidre
2 c. à c.	fécule de maïs

• Dans un petit bol, mélanger la sauce soja, le gingembre et l'ail; réserver.

• Mettre le filet de dindon dans un plat creux, l'arroser du premier mélange et faire mariner 3 heures au réfrigérateur.

• Dans un saladier, mélanger la coriandre, la laitue, les germes de soja et les échalotes nouvelles.

• Dans une poêle, à feu moyen, faire griller les graines de sésame 3 à 4 minutes. Retirer de la poêle et réserver.

• Retirer les lamelles de dindon de la marinade et réserver ½ dl de marinade. Dans la même poêle, à feu moyen-vif, faire chauffer 1 c. à s. d'huile d'arachide et y faire cuire la viande environ 4 minutes de chaque côté, ou jusqu'à ce qu'elle ait perdu sa teinte rosée à l'intérieur. Incorporer à la salade.

• Dans une casserole, mélanger la marinade réservée, le reste d'huile d'arachide, l'huile de sésame, le vinaigre et la fécule de maïs. Porter à ébullition et faire bouillir 3 minutes, en remuant constamment. Verser sur la salade et mélanger délicatement. Parsemer de graines de sésame et garnir de haricots mange-tout. Servir immédiatement.

SALADE D'ÉPINARDS À LA **VINAIGRETTE** AUX **NOIX**

•

4 PORTIONS

25 g	noix de Grenoble hachées
2	gousses d'ail
½ dl	vinaigre balsamique *ou* vinaigre aromatisé aux fruits
1 c. à s.	moutarde forte
1 c. à c.	poivre
5 c. à s.	huile d'olive *ou* végétale
600 g	épinards, lavés et bien égouttés
2 c. à s.	bacon cuit, croustillant et émietté
130 g	fromage de chèvre *ou* autre, coupé en dés
25 g	carotte râpée

• Au robot ménager, broyer les noix et l'ail.

• Ajouter le vinaigre, la moutarde et le poivre. Bien mélanger.

• Incorporer graduellement l'huile, jusqu'à ce que la vinaigrette épaississe. Réserver.

• Dans un saladier, déchiqueter les feuilles d'épinards et les arroser de vinaigrette.

• Garnir de bacon et de fromage, parsemer de carotte râpée et servir.

•

CONSEIL

Ajoutez des morceaux d'orange pelés à vif.

SALADE de CHOU aux FRUITS

●

4 PORTIONS

───────

165 g	ananas coupé en morceaux, égoutté
150 g	chou râpé
75 g	pomme évidée et coupée en dés
60 g	carotte râpée
20 g	poivron vert coupé en morceaux
1 c. à s.	jus d'ananas
1 c. à s.	huile de maïs
1 c. à s.	miel
1 c. à s.	jus de citron
1	pincée de gingembre en poudre
4 c. à s.	yaourt nature

───────

• Dans un saladier, mélanger l'ananas, le chou, la pomme, la carotte et le poivron vert. Réserver.

• Dans un bocal fermé hermétiquement, mélanger en secouant bien le jus d'ananas, l'huile, le miel, le jus de citron, le gingembre et le yaourt.

• Verser sur la salade et mélanger délicatement. Réfrigérer de 4 à 24 heures. Mélanger de nouveau juste avant de servir.

●

SALADE DE POULET À LA CANTONAISE

6 PORTIONS

5 c. à s.	mayonnaise
5 c. à s.	yaourt nature
1 c. à s.	sauce soja légère
1½ c. à c.	aneth séché
¼ c. à c.	poivre
300 g	blanc de poulet coupé en dés
150 g	châtaignes d'eau égouttées, coupées en quatre (facultatif)
50 g	échalotes nouvelles hachées
2	kiwis, pelés, coupés en deux et tranchés *ou* 85 g de melon coupé en dés *ou* de raisins verts coupés en deux
1 c. à s.	graines de sésame
	feuilles de laitue

• Dans un bol, mélanger la mayonnaise, le yaourt, la sauce soja, l'aneth et le poivre.

• Ajouter le poulet, les châtaignes d'eau, les échalotes nouvelles et les kiwis.

• Mélanger délicatement pour enrober tous les ingrédients.

• Dresser sur les feuilles de laitue. Parsemer de graines de sésame et servir.

SALADE DE POIS CHICHES FRUITÉE

●

4 PORTIONS

625 g	pois chiches en conserve, rincés et égouttés
3	pommes rouges *ou* vertes évidées, non pelées, coupées en dés
2	échalotes nouvelles, hachées
125 g	céleri haché
	feuilles de laitue (garniture)

VINAIGRETTE

3 c. à s.	vinaigre de cidre *ou* aromatisé aux fruits
5 c. à s.	huile de colza
1	gousse d'ail, hachée finement
2 c. à s.	persil haché
	quelques feuilles de basilic, de coriandre *ou* de menthe, hachées

• Dans un saladier, mélanger les pois chiches, les pommes, les échalotes nouvelles et le céleri. Réserver.

• Dans un petit bol, bien mélanger le vinaigre, l'huile, l'ail, le basilic et le persil.

• Verser sur le mélange aux pois chiches. Couvrir et mettre au réfrigérateur 30 minutes.

• Pour servir, dresser sur des feuilles de laitue.

●

CONSEIL

Les pois chiches sont une source exceptionnelle de fibres alimentaires et de fer. Riches en protéines, ils peuvent remplacer la viande.

SALADE DE POISSON ET DE PÊCHES

●

4 PORTIONS

1	laitue frisée rouge, lavée et essorée
4	escalopes de saumon de 90 g chacune, cuites
3	pêches fraîches, pelées et tranchées *ou* 400 g de pêches en conserve dans leur jus, égouttées et tranchées
30 g	noix de pecan coupées en deux
1,25 dl	mayonnaise
1 c. à s.	vinaigre aromatisé aux fruits
½ c. à c.	gingembre haché finement

• Garnir 4 assiettes de feuilles de laitue.

• Déposer une escalope de saumon sur chacune d'elles.

• Ajouter les pêches sur le dessus et garnir de noix de pecan. Réserver.

• Dans un bol, mélanger la mayonnaise, le vinaigre et le gingembre.

• Avec une cuillère, napper de sauce chaque portion.

●

SALADE TIÈDE D'ÉPINARDS AUX SAUCISSES FUMÉES

●

4 PORTIONS

───────

500 g	épinards frais, lavés, bien égouttés
4	saucisses fumées, coupées en morceaux
1	oignon moyen, coupé finement
3 c. à s.	huile de tournesol ou autre
1 c. à s.	vinaigre aromatisé aux fruits
2 c. à c.	moutarde forte
60 g	amandes effilées
1	pincée de paprika
	poivre

───────

• Mettre les épinards dans un saladier. Réserver.

• Faire griller les saucisses fumées. Réserver au chaud.

• Faire revenir l'oignon dans l'huile chaude, sans le colorer.

• Au robot ménager, mélanger en une préparation homogène, l'oignon, le vinaigre, le poivre et la moutarde.

• Napper les épinards de ce mélange et ajouter les saucisses. Garnir d'amandes et saupoudrer de paprika.

• Bien mélanger et servir.

●

CONSEIL

Juste avant de servir, garnissez de croûtons à l'ail et parsemez de fromage râpé de votre choix.

La betterave est riche en potassium, en calcium et en acide folique.

SALADE DE BETTERAVES ET DE NOIX

•

2 PORTIONS

---

2 c. à c.	vinaigre de vin blanc
2 c. à c.	huile de colza
2 c. à c.	mayonnaise
2	betteraves, épluchées et râpées
50 g	noix de Grenoble hachées
1 c. à s.	persil haché
	poivre

• Dans un bol, mélanger le vinaigre et l'huile.

• Ajouter la mayonnaise. Fouetter et poivrer.

• Dans un saladier, mélanger les betteraves et les noix de Grenoble.

• Arroser de vinaigrette. Parsemer de persil, réfrigérer et servir bien froid.

•

Dans un bol, mélanger le vinaigre et l'huile.

1

Ajouter la mayonnaise, fouetter et poivrer.

2

Dans un saladier, mélanger les betteraves et les noix de Grenoble.

3

Arroser de vinaigrette et parsemer de persil.

4

SALADE de CŒURS d'ARTICHAUTS

●

2 PORTIONS

---

3 c. à s.	huile d'olive
1 c. à s.	jus de citron
1 c. à c.	oignon haché finement
1	pincée de thym en poudre
16	cœurs d'artichauts, entiers *ou* coupés en deux
1 c. à s.	persil haché finement
2 c. à s.	sbrinz *ou* gruyère râpé
	poivre

L'artichaut est une excellente source de vitamine A et de potassium.

• Dans un saladier, mélanger l'huile, le jus de citron, l'oignon et le thym. Poivrer.

• Ajouter les cœurs d'artichauts, mélanger délicatement.

• Réfrigérer 1 à 2 heures, en remuant de temps en temps.

• Disposer les cœurs d'artichauts sur un plat. Garnir de persil et de fromage.

●

SALADE DE POMMES DE TERRE AU THYM

●

4 PORTIONS

4	pommes de terre, épluchées, cuites, coupées en cubes
2 c. à s.	vin blanc sec
1 c. à c.	thym haché
4 c. à c.	vinaigre de vin rouge
1 c. à c.	moutarde forte
1	pincée de poivre fraîchement moulu
2 c. à s.	huile de maïs
1 c. à s.	ciboulette ciselée

• Dans un saladier, mélanger les pommes de terre, le vin blanc et le thym.

• Dans un autre bol, fouetter le vinaigre, la moutarde et le poivre. Incorporer graduellement l'huile.

• Verser la vinaigrette sur les pommes de terre et mélanger délicatement. Parsemer de ciboulette et servir.

●

LA
Volaille

BALLOTTINES DE POULET AU THYM

●

4 PORTIONS

---

150 g	riz blanc cuit
35 g	riz brun cuit
1	pincée de thym en poudre
4	cuisses de poulet, désossées
¼ litre	bouillon de volaille
	poivre fraîchement moulu

SAUCE

45 g	beurre
1	échalote nouvelle, hachée finement
30 g	laitue hachée
12 g	épinards hachés
¼ litre	bouillon de volaille
1,25 dl	vin blanc sec
1,25 dl	crème fraîche épaisse
	poivre fraîchement moulu

• Dans un bol, mélanger les riz, le thym et le poivre. Farcir les cuisses de poulet de ce mélange et refermer pour former un ballot. Fixer à l'aide d'un cure-dents.

• Préchauffer le four à 200 °C.

• Déposer les cuisses de poulet farcies dans un plat allant au four, arroser du bouillon de volaille, enfourner et faire cuire 10 à 15 minutes, ou jusqu'à ce que le poulet soit cuit.

• Pour préparer la sauce, dans une casserole, faire chauffer 1 c. à s. de beurre; y faire revenir rapidement l'échalote nouvelle. Ajouter la laitue, les épinards, le bouillon de volaille et le vin. Laisser mijoter 5 minutes.

• Incorporer la crème et porter à ébullition. Au mixeur, réduire en velouté. Ajouter le reste du beurre, poivrer et réserver au chaud.

• Pour servir, napper le fond des assiettes de sauce, y déposer les ballottines de poulet et accompagner de légumes.

●

CONSEIL

Remplacez le gingembre râpé par 1 c. à c. de gingembre en poudre et décorez de quelques brins de coriandre.

FILETS DE DINDE AU GINGEMBRE

●

4 PORTIONS

4	**filets de dinde**
1 c. à s.	**huile de maïs**
2 c. à s.	**gingembre râpé**
1	**gousse d'ail, émincée**
2	**oignons, hachés**
1	**poivron rouge, coupé en lanières**
10	**champignons, hachés**
2	**échalotes nouvelles, hachées**
1 c. à s.	**sauce soja légère**

• Dans le cœur de chaque filet de dinde, prélever une tranche ronde de 2 cm d'épaisseur sur 6 à 8 cm de diamètre. Barder et ficeler.

• Dans une poêle à revêtement antiadhésif, faire chauffer l'huile. Ajouter le gingembre et l'ail; faire revenir quelques secondes, jusqu'à ce que l'ail blondisse légèrement.

• Faire brunir les filets de dinde dans la poêle environ 10 minutes. Retourner à mi-cuisson.

• Ajouter les légumes. Poursuivre la cuisson 10 minutes, à feu moyen.

• Bien incorporer la sauce soja. Servir avec un riz cuit à la vapeur.

●

Tout comme le poulet, la viande blanche de la dinde contient deux fois moins de gras et de cholestérol que la viande brune.

115

CUISSES DE DINDON À LA GELÉE D'AIRELLES

●

4 PORTIONS

4	petites cuisses de dindon
1 c. à s.	huile végétale
1 c. à s.	beurre
2 c. à s.	échalotes nouvelles hachées finement
1	gousse d'ail, émincée
60 g	gelée d'airelles
1,25 dl	vin rouge sec
½ dl	bouillon de volaille ou jus d'orange
1 c. à c.	zeste d'orange râpé
½ c. à c.	moutarde en poudre
½ c. à c.	gingembre en poudre

• Déposer les cuisses de dindon dans un plat, couvrir d'une pellicule plastique et réserver.

• Dans une petite casserole, faire chauffer l'huile et fondre le beurre. À feu moyen, y faire cuire les échalotes nouvelles et l'ail 5 minutes. Incorporer le reste des ingrédients.

• Faire chauffer jusqu'à ce que la gelée soit fondue. Retirer du feu, laisser refroidir. Verser sur le dindon, couvrir et laisser macérer 3 heures au réfrigérateur.

• Retirer les cuisses de la marinade et verser la marinade dans une casserole. Porter à ébullition, laisser mijoter 4 minutes, à feu moyen-vif. Réserver.

• Faire cuire les cuisses de dindon 20 minutes au barbecue ou dans une poêle très chaude, en arrosant de temps en temps de marinade. Retourner et poursuivre la cuisson 10 minutes.

• Servir avec un riz cuit à la vapeur et des légumes.

●

HAMBURGERS DE DINDON AU BASILIC

●

4 PORTIONS

――――――

1	œuf, battu
25 g	chapelure fine
3 c. à s.	bouillon de volaille *ou* eau
2 c. à s.	basilic haché
2 c. à s.	échalote nouvelle hachée
2 c. à s.	parmesan râpé
1 c. à s.	pignons *ou* amandes effilées
450 g	dindon haché, cuit *ou* cru
4	petits pains ronds
	sel et poivre

――――――

• Dans un bol, mélanger l'œuf, la chapelure, le bouillon de volaille, le basilic, l'échalote nouvelle, le parmesan, les pignons, le sel et le poivre. Ajouter le dindon et bien mélanger. Façonner en quatre boulettes aplaties en palets bien compacts.

• Faire cuire 5 minutes au barbecue ou à la poêle. Retourner et poursuivre la cuisson 7 minutes.

• Servir sur les pains légèrement grillés. Accompagner d'une garniture de votre choix.

●

BLANCS DE POULET FARCIS À LA MANGUE

●

6 PORTIONS

60 g	mangue coupée finement
1 c. à s.	ketchup
3 c. à s.	beurre
1 c. à s.	jus de citron
1	pincée de gingembre en poudre
1	pincée de poivre de Cayenne
1	pincée de clou de girofle en poudre
1	gousse d'ail, écrasée
2	mangues, dénoyautées, pelées et détaillées en fines lamelles
6	poitrines de poulet, désossées et sans peau
	jus de ½ citron vert

• Dans un bol, mélanger les 60 g de mangue, le ketchup, le beurre, le jus de citron, le gingembre, le poivre de Cayenne, le clou de girofle et l'ail. Réserver.

• Arroser les lamelles de mangue de jus de citron vert. Réserver.

• Ouvrir en portefeuille chaque poitrine de poulet en l'entaillant profondément sur un des côtés; farcir de mélange à base de mangue.

• Dans une poêle, faire fondre le reste du mélange.

• Faire cuire les poitrines de poulet au barbecue 7 à 8 minutes de chaque côté, en les badigeonnant du mélange à la mangue fondu.

• Garnir de mangue et servir.

●

RÔTI DE DINDE FARCI

●

4 PORTIONS

675 g	poitrine de dinde, sans peau
50 g	riz à cuisson rapide non cuit
100 g	champignons tranchés
35 g	échalotes nouvelles émincées
125 g	tomates en conserve, égouttées et broyées
40 g	mozzarella râpée
½ dl	bouillon de volaille
	poivre fraîchement moulu

• Ouvrir en portefeuille la poitrine de dinde, en l'entaillant profondément sur un des côtés. Poivrer et réserver.

• Dans un bol, mélanger tous les autres ingrédients, sauf le bouillon de volaille.

• Préchauffer le four à 180 °C.

• Farcir la poitrine de dinde du mélange. Refermer et fixer à l'aide de cure-dents. Déposer dans un plat à rôtir, mouiller avec le bouillon de volaille et couvrir.

• Faire cuire au four 35 à 40 minutes. Laisser reposer quelques minutes.

• Trancher et servir avec une sauce de votre choix.

●

POULET BARBECUE
DE LA NOUVELLE-ORLÉANS

4 PORTIONS

150 g	farine
½ c. à c.	mélange de sel, poivre noir, ail en poudre et poivre de Cayenne
4	cuisses de poulet
½ litre	huile pour la friture

MARINADE

¼ litre	ketchup
90 g	cassonade
1 c. à c.	sauce Worcestershire
1 c. à c.	vinaigre blanc
½ c. à c.	mélange de sel, poivre noir, ail en poudre et poivre de Cayenne
2	grands traits de tabasco
1 c. à c.	raifort en pot (du commerce)
250 g	oignon haché

• Préchauffer le four à 150 °C.

• Incorporer à la farine ½ c. à c. d'épices mélangées, puis fariner les cuisses de poulet de ce mélange.

• Dans une casserole, faire chauffer l'huile et y faire légèrement dorer les cuisses de poulet.

• Retirer les cuisses de poulet de l'huile et les essuyer avec du papier absorbant. Les disposer dans un plat allant au four et réserver.

• Dans un bol, mélanger tous les ingrédients de la marinade. Arroser les cuisses de poulet de marinade, enfourner et faire cuire, à couvert, 2 heures environ.

ESCALOPES DE DINDE ENROULÉES

●

4 PORTIONS

200 g	jambon cuit, dégraissé, coupé en dés
1	poivron vert *ou* rouge, coupé en dés
2 c. à s.	persil haché finement
2 c. à s.	porto, xérès *ou* jus de pomme non sucré
1	blanc d'œuf
2	pincées d'estragon *ou* de thym en poudre
4	escalopes de dinde, très minces
8	feuilles de laitue romaine *ou* de chou, blanchies
1,25 dl	bouillon de volaille
½ litre	coulis de tomates *ou* sauce tomate, chaud
	poivre

• Préchauffer le four à 180 °C.

• Dans un bol, mélanger le jambon, le poivron, le persil, le porto, le blanc d'œuf, l'estragon et le poivre.

• Répartir ce mélange entre les escalopes de dinde, les rouler et poivrer.

• Envelopper dans les feuilles de laitue.

• Déposer dans un plat allant au four, mouiller avec le bouillon, couvrir et faire cuire au four, 20 à 25 minutes.

• Détailler en tranches épaisses. Dresser sur un fond de coulis de tomates.

• Servir avec des pommes de terre bouillies et légèrement persillées.

●

POULET aux CHAMPIGNONS, SAUCE au YAOURT

●

6 PORTIONS

———

1 c. à s.	farine
6	morceaux de poulet, d'environ 120 g chacun, sans peau
3 c. à s.	beurre
2	oignons, émincés
150 g	champignons tranchés
1,25 dl	eau
135 g	yaourt nature
1 c. à c.	fécule de maïs, délayée dans un peu d'eau
	poivre

———

• Fariner légèrement les morceaux de poulet; réserver.

• Dans une poêle à fond épais, faire fondre le beurre. À feu moyen, y faire cuire les morceaux de poulet en les retournant pour qu'ils soient dorés sur toutes les faces. Si le poulet n'est pas désossé, baisser le feu et poursuivre la cuisson 8 à 10 minutes de plus de chaque côté. Retirer le poulet de la poêle et réserver au chaud.

• Dans la même poêle, à feu moyen, faire cuire les oignons et les champignons jusqu'à ce qu'ils soient tendres.

• Mouiller avec l'eau et porter à ébullition. Faire cuire 1 minute. Retirer du feu, incorporer le yaourt et la fécule de maïs et poivrer.

• Remettre le poulet dans la poêle et mélanger. Servir.

●

1

Fariner le poulet et le faire cuire à la poêle. Réserver au chaud.

2

Faire cuire les oignons et les champignons.

3

Mouiller avec l'eau, laisser réduire. Incorporer le yaourt et la fécule de maïs. Poivrer.

4

Remettre le poulet dans la poêle.

POITRINE DE DINDON FARCIE AUX NOIX ET AUX RAISINS SECS

●

6 À 8 PORTIONS

1	poitrine de dindon
100 g	riz blanc cuit
35 g	riz brun cuit
40 g	noix de Grenoble hachées
2 c. à s.	persil haché
2 c. à c.	feuilles de menthe hachées
40 g	raisins secs
1	œuf
½ litre	bouillon de volaille
	poivre

• Préchauffer le four à 180 °C.

• Ouvrir en portefeuille la poitrine de dindon, en l'entaillant profondément sur un des côtés. Poivrer et réserver.

• Dans un bol, bien mélanger les riz, les noix, le persil, la menthe, les raisins secs et l'œuf. Farcir la poitrine de dindon de ce mélange, refermer et fixer à l'aide de cure-dents.

• Déposer dans un plat allant au four, mouiller avec le bouillon de volaille, couvrir, enfourner et faire cuire 20 à 30 minutes.

• Récupérer le jus de cuisson dans une casserole et le faire réduire de moitié.

• Pour servir, trancher la poitrine de dindon farcie et l'accompagner du jus de cuisson.

●

BROCHETTES DE POULET TERIYAKI

●

8 PORTIONS

———

675 g	poitrines de poulet, désossées, sans peau, coupées en morceaux
3	boîtes de châtaignes d'eau, égouttées
½ dl	xérès sec
½ dl	vin blanc sec
½ dl	sauce soja légère
2	gousses d'ail, écrasées
3 c. à s.	huile de maïs
	laitue, déchiquetée

GARNITURE
rondelles d'oignon

demi-rondelles de citron

paprika

———

• Mettre le poulet et les châtaignes d'eau dans un plat creux.

• Dans un bol, mélanger le xérès, le vin, la sauce soja et l'ail. Verser sur le poulet et les châtaignes d'eau. Couvrir et réfrigérer 1 heure, en remuant de temps en temps.

• Retirer le poulet et les châtaignes d'eau de la marinade et les enfiler sur 8 brochettes. Réserver la marinade.

• Badigeonner les brochettes d'huile et les faire cuire au barbecue 10 minutes, en les retournant souvent et en les badigeonnant avec la marinade.

• Disposer les brochettes sur un lit de laitue. Garnir de rondelles d'oignon et de demi-rondelles de citron, saupoudrer de paprika et servir.

●

FILETS DE POULET AU CÉLERI EN RÉMOULADE

●

2 PORTIONS

1,5 dl	mayonnaise
2 c. à s.	persil haché
2 c. à c.	moutarde forte
1	céleri-rave, épluché, blanchi et râpé *ou* 1 pot de céleri-rave râpé, rincé et égoutté
4	petits filets de poulet
2	rondelles de citron, coupées en deux
	feuilles de laitue (garniture)
	poivre blanc

Le céleri-rave est une excellente source de phosphore.

• Dans un bol, mélanger la mayonnaise, le persil, la moutarde et le poivre. Ajouter le céleri-rave, bien mélanger et réfrigérer 3 à 6 heures avant de le servir.

• Préchauffer le four à 180 °C.

• Disposer les filets de poulet sur une tôle huilée ou dans un plat allant au four. Enfourner et faire cuire 15 à 20 minutes; réserver au chaud.

• Tapisser une assiette de quelques feuilles de laitue, garnir de céleri en rémoulade. Y déposer les filets de poulet et servir avec des demi-rondelles de citron.

●

POULET AUX PÊCHES

●

4 PORTIONS

4	cuisses de poulet, sans peau
1 c. à s.	huile de colza
2	oignons, hachés
2	gousses d'ail, émincées
1 c. à c.	cannelle en poudre
1 c. à c.	curcuma
1 c. à c.	muscade en poudre
½ c. à c.	paprika
3 dl	bouillon de volaille
2	traits de tabasco
2	pêches, coupées en quartiers
1 c. à s.	fécule de maïs
	jus de 1 citron

• Dans une poêle à revêtement antiadhésif, faire dorer le poulet dans l'huile chaude, sur toutes ses faces.

• Retirer le poulet de la poêle et le réserver au chaud. Enlever un peu de graisse de la poêle, si nécessaire, puis à feu moyen, y faire blondir les oignons et l'ail. Ajouter les épices, baisser le feu et poursuivre la cuisson 3 minutes.

• Incorporer ¼ de litre de bouillon de volaille, le tabasco et le jus de citron. Remettre le poulet dans la poêle.

• Ajouter les quartiers de pêche à la préparation et couvrir. Faire cuire à feu doux, 20 minutes. À l'aide d'une écumoire, retirer le poulet et les autres ingrédients de la poêle et dresser dans un plat de présentation.

• Délayer la fécule de maïs dans ½ dl de bouillon de volaille. Incorporer au jus de cuisson et faire cuire 2 minutes.

• Juste avant de servir, napper le poulet de sauce.

●

MARINADE À L'ORIENTALE*

3 DL

½ c. à c.	gingembre haché
½ dl	huile de maïs
	jus et zestes râpés de 4 citrons verts
	jus et zeste râpé de 1 citron
	poivre moulu

• Dans un bol, mélanger tous les ingrédients.

• Couvrir et réfrigérer 12 à 24 heures.

• Utiliser avec les zestes ou filtrer la marinade avant l'utilisation.

* Cette marinade peut s'utiliser pour le poulet, le porc et le poisson.

MARINADE AIGRE-DOUCE*

3 DL

5 c. à s.	miel
4	feuilles de menthe, hachées finement
5 c. à s.	vinaigre aromatisé aux fruits *ou* vinaigre de vin
2 c. à s.	sauce soja légère
1 c. à s.	huile de noix, de sésame, végétale *ou* d'olive
	jus et zeste râpé de 1 orange

• Mélanger tous les ingrédients dans une casserole.

• Porter à ébullition et laisser mijoter à découvert, jusqu'à ce que la sauce ait réduit du tiers.

* Cette marinade peut s'utiliser pour l'agneau, le poulet et le bœuf.

FILETS de POULET en PAPILLOTES

6 À 8 PORTIONS

6 à 8	filets de poulet
85 g	concentré de tomates
3 c. à s.	vin blanc sec
2 c. à s.	sauce Worcestershire
2 c. à s.	mélasse
½ c. à c.	poivre noir
1 c. à c.	moutarde forte
1 c. à c.	sauce chili
1 c. à c.	paprika
2 c. à s.	huile de maïs
	jus de ½ citron

• Dans le cœur de chaque filet de poulet, prélever une tranche ronde de 2 cm d'épaisseur sur 6 à 8 cm de diamètre. Barder et ficeler.

• Dans un grand plat creux, mélanger tous les autres ingrédients. Y déposer les filets de poulet. Couvrir et réfrigérer 1 heure; retourner la viande de temps en temps.

• Retirer les filets de poulet de la marinade et envelopper chacun d'eux dans une feuille de papier d'aluminium. Faire cuire au barbecue 10 à 12 minutes au maximum. Retourner de temps en temps.

• Servir avec des légumes de votre choix.

CAILLES EN CRAPAUDINE AUX RAISINS GLACÉS

4 PORTIONS

8	cailles, vidées et plumées
3 c. à s.	huile d'olive
2 c. à s.	vinaigre aromatisé aux fruits
3	brins de thym
4 à 5	baies de genièvre
½	carotte, coupée en rondelles
½	oignon, coupé en rondelles
	sarriette séchée
	poivre

SAUCE

2 c. à s.	beurre
1 à 2	échalotes roses, hachées finement
6	pleurotes, hachés finement
½ dl	vin blanc sec
¼ litre	bouillon de volaille *ou* de bœuf
20	raisins verts sans pépins
1 c. à s.	miel liquide
	sel et poivre

• Placer les mains de chaque côté de la poitrine des cailles, briser l'articulation des cuisses en pressant de façon à aplatir légèrement la poitrine et les cuisses. Inciser la peau entre les pilons et y glisser les pilons. Poivrer et parsemer de sarriette. Réserver.

• Dans un plat peu profond, mélanger l'huile, le vinaigre, le thym, le genièvre, la carotte et l'oignon. Y déposer les cailles et faire mariner au réfrigérateur 2 à 3 heures, à couvert, en les retournant de temps en temps.

• Préchauffer le four à 220 °C.

• Bien égoutter les cailles, les disposer sur une tôle. Récupérer le thym et le genièvre de la marinade et réserver. Placer les cailles au centre du four, baisser la température du four à 180 °C et faire cuire 12 à 15 minutes.

• Pour préparer la sauce, faire fondre le beurre dans une poêle. À feu vif, y faire revenir les échalotes et les pleurotes.

• Mouiller avec le vin et faire cuire jusqu'à l'évaporation du liquide. Incorporer le bouillon de volaille et assaisonner. Parfumer au thym et au genièvre de la marinade. Laisser mijoter 2 à 3 minutes.

• Dans une autre poêle, faire chauffer le miel et bien y remuer les raisins verts pour les glacer.

• Dresser les cailles dans un plat de présentation, napper de sauce et garnir des raisins verts.

ESCALOPES DE VOLAILLE SAUCE CHASSEUR

●

4 PORTIONS

---

60 g	chapelure fine
25 g	sbrinz *ou* parmesan râpé
4	escalopes de poulet *ou* de dinde, bien aplaties
2 c. à s.	beurre
150 g	champignons émincés
2	échalotes roses, hachées finement
2 c. à s.	farine
½ dl	vin blanc sec (facultatif)
3,75 dl	bouillon de volaille
¼ c. à c.	thym séché
1 c. à c.	persil haché finement
1 c. à s.	concentré de tomates
1 c. à s.	huile de maïs
	poivre

• Mélanger la chapelure et le fromage. Bien enrober les escalopes de poulet de ce mélange. Couvrir et réserver.

• Dans une poêle à revêtement antiadhésif, faire fondre 1 c. à s. de beurre. À feu vif, y faire revenir les champignons et les échalotes, 3 à 4 minutes.

• Saupoudrer de farine. Bien mélanger à l'aide d'une cuillère de bois. Mouiller avec le vin blanc, puis avec le bouillon de volaille.

• Ajouter le thym, le persil et le concentré de tomates. Laisser mijoter à feu moyen jusqu'à l'obtention d'une texture onctueuse. Réserver au chaud.

• Faire chauffer le reste du beurre et l'huile dans une autre poêle. À feu vif, y faire cuire les escalopes de poulet.

• Dresser dans des assiettes, napper de sauce et servir.

●

BROCHETTES DE POULET
SATAY

4 PORTIONS

450 g	poitrines de poulet, désossées, sans peau et coupées en lanières
12	cubes de cantaloup

MARINADE

½ dl	sauce soja *ou* tamari
½ dl	xérès sec
	jus et zeste râpé de 1 citron

SAUCE AUX CACAHUÈTES

125 g	beurre de cacahuètes
½ dl	lait
2 c. à s.	sauce soja *ou* tamari
2 c. à s.	jus de citron
2 c. à s.	cassonade
½ c. à c.	poudre de cari
5	gouttes de tabasco
1	gousse d'ail, écrasée

• Dans un plat peu profond, bien mélanger les ingrédients de la marinade.

• Ajouter le poulet, couvrir et laisser mariner au réfrigérateur, 2 à 3 heures.

• Enfiler le poulet sur 12 brochettes de bois préalablement trempées dans de l'eau froide. Faire cuire au barbecue 4 minutes. Retourner 1 fois pendant la cuisson.

• Enfiler 1 morceau de cantaloup sur chaque brochette et poursuivre la cuisson 1 minute.

• Dans une casserole, mélanger tous les ingrédients de la sauce aux cacahuètes et porter à ébullition.

• Servir 3 brochettes par portion, accompagnées de sauce aux cacahuètes.

POULET au CARI ET au LAIT de COCO

2 PORTIONS

I c. à s.	huile végétale
I c. à s.	pâte de piment de Cayenne et de cari
I	poulet désossé, coupé en morceaux *ou* 2 poitrines de poulet, désossées, sans peau
1,75 dl	lait de coco
½ c. à c.	sucre
125 g	haricots verts, cuits, coupés en morceaux
½	poivron rouge, coupé en lanières
½	poivron vert, coupé en lanières
	pousses de bambou, émincées (en conserve)
	sel

• Faire chauffer l'huile et la pâte de piment dans une casserole. Ajouter les morceaux de poulet. Faire sauter quelques minutes, à feu vif.

• Ajouter le lait de coco, baisser le feu et poursuivre la cuisson 10 minutes, ou jusqu'à ce que la viande soit cuite. À la fin de la cuisson, saler et sucrer.

• Entre-temps, faire cuire les légumes à l'étuvée.

• Dresser le poulet dans un plat de présentation, napper de sauce et servir avec les légumes.

CONSEIL

Remplacez la pâte de piment de Cayenne et de cari par du concentré de tomates relevé de piment, de cari et de gingembre.

CANARD AU CHOU ROUGE

●

4 PORTIONS

---

75 g	raisins secs
100 g	pain rassis coupé en dés
250 g	pommes à cuire coupées en dés
½ dl	beurre fondu
1	œuf, légèrement battu
1 c. à c.	sel
¼ c. à c.	poivre
½ c. à c.	marjolaine séchée
1	canard de 2 kg
1	gros oignon, haché grossièrement
2	grosses carottes, hachées grossièrement
3 dl	eau bouillante
1 c. à s.	miel liquide
¼ litre	vin rouge sec
1	chou rouge de 1 kg, haché
2	grosses pommes à cuire, pelées et tranchées finement
3 c. à s.	cassonade
1½ c. à c.	farine
1½ c. à c.	sel
1	pincée de poivre
½ dl	vinaigre blanc
3 c. à s.	beurre fondu

• Préchauffer le four à 160 °C.

• Dans un bol, mélanger les raisins secs, le pain rassis, les pommes coupées en dés, le ½ dl de beurre fondu, l'œuf, le sel, le poivre et la marjolaine.

• Farcir le canard du mélange, le refermer avec des brochettes et le brider.

• Mettre l'oignon et les carottes dans une rôtissoire et y déposer le canard. Mouiller avec 1,25 dl d'eau bouillante.

• Faire cuire au four environ 3 heures, ou jusqu'à ce que le canard soit très tendre. Quinze minutes avant la fin de la cuisson, badigeonner le canard de miel liquide. Lorsque le canard est cuit, le retirer de la rôtissoire et le réserver au chaud.

• Déglacer la rôtissoire au vin et faire chauffer rapidement jusqu'à ébullition, en remuant pour faire dissoudre tous les sucs. Filtrer la sauce, la dégraisser, la verser dans une saucière et réserver au chaud.

• Mettre le chou et 1,75 dl d'eau bouillante dans une grande casserole, couvrir et faire bouillir 10 minutes.

• Ajouter les tranches de pomme et laisser bouillir 10 minutes ou jusqu'à ce que le chou et les pommes soient tendres (ne pas égoutter). Réserver.

• Dans un bol, mélanger la cassonade, la farine, le sel et le poivre. En remuant, ajouter le vinaigre et 3 c. à s. de beurre fondu. Incorporer au chou et porter de nouveau à ébullition.

• Dresser le canard dans un plat de présentation. Servir avec le chou et la sauce.

●

ESCALOPES DE DINDON TERIYAKI

●

4 PORTIONS

---

50 g	sucre
½ dl	sauce soja
½ dl	xérès
1	gousse d'ail, hachée finement
1 c. à s.	gingembre haché
4	escalopes de dindon, épaisses
2 c. à s.	graines de sésame
	huile végétale

• Dans une casserole, mélanger le sucre, la sauce soja, le xérès, l'ail et le gingembre. Faire cuire à feu moyen 5 à 10 minutes, ou jusqu'à ce que la sauce soit légèrement onctueuse.

• Huiler la grille du barbecue ou le fond d'une poêle et faire chauffer. Y déposer les escalopes de dindon et les badigeonner de sauce. Faire griller 3 minutes. Badigeonner de nouveau et poursuivre la cuisson 3 minutes. Retourner les escalopes, badigeonner de nouveau et faire griller jusqu'à ce qu'elles aient perdu leur teinte rosée à l'intérieur.

• Parsemer de graines de sésame et servir avec un riz cuit à la vapeur.

●

Very Easy Good Healthy

RAGOÛT DE POULET ET DE LÉGUMES

●

4 PORTIONS

200 g	haricots blancs, secs
3 c. à s.	beurre
675 g	poulet, désossé, coupé en dés
100 g	riz brun
2	branches de céleri, émincées
2	carottes, coupées en rondelles
1	oignon, haché
2 c. à c.	persil haché
¾ litre	bouillon de volaille

• Mettre les haricots dans une casserole, les couvrir d'eau froide, porter à ébullition et laisser bouillir 2 minutes. Retirer du feu et laisser reposer 1 heure dans leur eau de cuisson.

• Égoutter les haricots, les mettre dans une cocotte et réserver.

• Préchauffer le four à 150 °C.

• Dans une poêle à revêtement antiadhésif, faire fondre le beurre et y faire revenir le poulet.

• Disposer le poulet sur les haricots, dans la cocotte, et ajouter tous les autres ingrédients. Couvrir et faire cuire au four pendant 4 heures.

●

CONSEIL

Pour obtenir un ragoût encore plus savoureux, faites-le mijoter 8 heures au four à 100 °C.

ROULADES DE POULET

4 PORTIONS

4	poitrines de poulet, sans peau
4	tranches fines de jambon cuit
4	tranches fines d'emmental
4	asperges cuites *ou* en conserve
2 c. à s.	farine
1 c. à s.	beurre
1 c. à s.	huile de maïs
¼ litre	coulis de tomates, chaud
	rondelles de citron
	poivre

CONSEIL

Avant de faire griller les roulades de poulet, panez-les en les enrobant d'abord de farine, puis d'œuf battu et finalement de chapelure.

• Entre 2 feuilles de papier sulfurisé, aplatir légèrement les poitrines de poulet avec une batte à côtelette.

• Poivrer chacune des poitrines de poulet, puis les garnir d'une tranche de jambon, d'une tranche de fromage et d'une asperge. Rouler avec précaution et fixer avec un cure-dents. Saupoudrer de farine.

• Dans une poêle à revêtement antiadhésif, faire chauffer le beurre et l'huile. À feu doux, y faire dorer les roulades de poulet 12 à 15 minutes, en les retournant souvent. Dresser dans un plat de présentation, servir chaud avec le coulis de tomates et les rondelles de citron.

POULET CROUSTILLANT

●

4 PORTIONS

---

40 g	farine
60 g	chapelure nature *ou* assaisonnée d'un mélange de romarin, de thym, de sauge, d'origan et de marjolaine
8	morceaux de poulet, sans peau
3 c. à s.	huile d'olive
	poivre

• Préchauffer le four à 200 °C.

• Dans un sac de plastique, mélanger la farine, la chapelure et le poivre. Ajouter les morceaux de poulet et secouer pour bien les enrober du mélange.

• Dans une poêle à revêtement antiadhésif très chaude, faire chauffer l'huile d'olive. À feu vif, y faire dorer les morceaux de poulet 3 à 4 minutes.

• Déposer les morceaux de poulet sur une tôle, enfourner et poursuivre la cuisson 15 à 20 minutes, ou jusqu'à ce que la chair du poulet se détache facilement de l'os.

• Sortir du four et servir immédiatement.

●

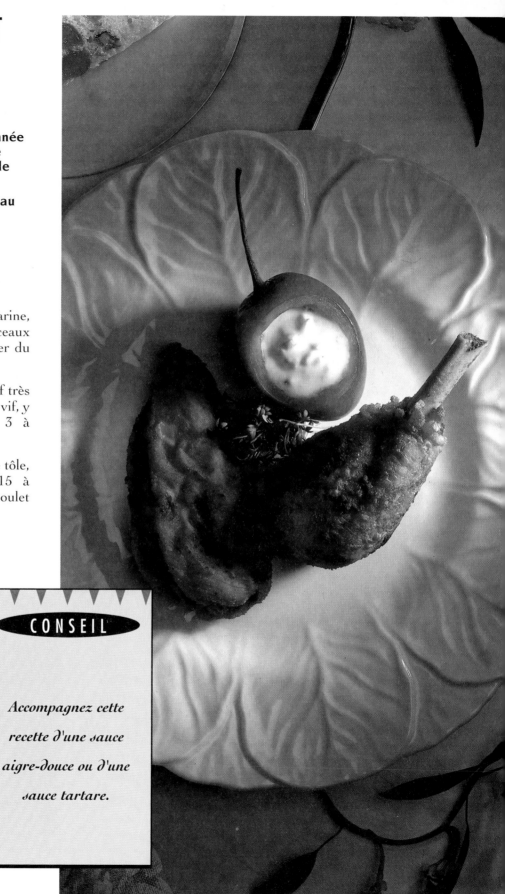

CONSEIL

Accompagnez cette recette d'une sauce aigre-douce ou d'une sauce tartare.

FOIES DE POULET SAUTÉS

●

6 PORTIONS

───────

675 g	foies de poulet, parés
40 g	farine
1 c. à s.	beurre
1 c. à s.	huile de colza
1	gousse d'ail, hachée finement
140 g	petits oignons blancs, épluchés
3 c. à s.	eau
1	pincée de sucre
2 c. à s.	vinaigre
2 c. à s.	vin rouge sec
	sel et poivre

───────

Les abats, les foies en particulier, sont tous d'excellentes sources de fer et de vitamine A.

• Essuyer les foies de poulet et les couper en deux si nécessaire.

• Dans un sac de plastique, mélanger la farine, le sel et le poivre. Ajouter les foies de poulet et secouer pour bien les fariner.

• Préchauffer le four à 100 °C.

• Dans une grande poêle, faire chauffer le beurre et l'huile. À feu vif, y faire revenir l'ail 10 secondes. Ajouter les foies de poulet et faire saisir 4 minutes, en remuant. Retirer de la poêle et réserver au four.

• Mettre les oignons dans la poêle avec l'eau et le sucre, mélanger, couvrir et faire cuire à feu vif jusqu'à ce que les oignons soient tendres. Retirer les oignons et réserver.

• Toujours à feu vif, déglacer la poêle au vinaigre et au vin. Faire réduire la sauce environ 20 secondes. Ajouter les foies de poulet et les oignons, mélanger et servir aussitôt.

●

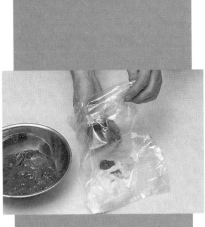

Fariner les foies de poulet.

Faire cuire l'ail à feu vif dans le beurre et l'huile. Ajouter les foies de poulet, faire cuire, puis réserver au four.

Faire cuire les oignons à couvert.

Déglacer la poêle au vinaigre et au vin. Laisser réduire la sauce, ajouter les foies de poulet et les oignons.

LA VOLAILLE

145

ESCALOPES DE DINDE PARMIGIANA

4 PORTIONS

25 g	chapelure
2 c. à s.	parmesan râpé
4	escalopes de dinde de 100 g chacune
2 c. à s.	lait
850 g	tomates à l'étuvée en conserve
2 c. à c.	fécule de maïs, diluée dans un peu d'eau froide
½ c. à c.	mélange de fines herbes séchées et écrasées (romarin, thym, sauge, origan et marjolaine)

• Préchauffer le four à 180 °C.

• Mélanger la chapelure et le parmesan dans un plat peu profond.

• Badigeonner les escalopes de lait, puis les rouler dans le mélange à la chapelure et au fromage.

• Huiler une tôle, y déposer les escalopes de dinde, enfourner et faire cuire 8 à 10 minutes.

• Dans une poêle, mélanger les tomates, la fécule de maïs et le mélange de fines herbes. Faire cuire en remuant sans cesse, jusqu'à l'obtention d'une sauce épaisse.

• Napper les assiettes de sauce, y déposer les escalopes de dinde et servir.

POULET AU MIEL, LÉGER COMME TOUT!

●

4 PORTIONS

---

3 c. à s.	farine
4	suprêmes de poulet
1 c. à s.	huile de maïs
1 c. à s.	beurre
2 c. à s.	miel
2 c. à s.	zeste de citron coupé en fine julienne
1	pincée de marjolaine en poudre

• Préchauffer le four à 180 °C.

• Fariner légèrement le poulet.

• Dans une poêle à revêtement antiadhésif, à feu moyen, faire chauffer l'huile et le beurre. Y faire cuire le poulet 5 minutes.

• Disposer le poulet sur une tôle, enfourner et poursuivre la cuisson 10 minutes, ou jusqu'à ce qu'il soit cuit.

• Enlever la graisse de cuisson de la poêle et y verser le miel. Ajouter le zeste de citron et la marjolaine. Faire cuire à feu très doux, jusqu'à ce que le miel bouillonne.

• Ajouter le poulet et remuer pour bien l'enrober de miel aromatisé

●

Pour préparer vous-même vos suprêmes de poulet, prenez une poitrine de poulet et coupez-la en deux au centre, là où l'os craque facilement. Enlevez la peau puis, à l'aide d'un petit couteau bien aiguisé, dégagez la chair en suivant l'os.

HAMBURGERS DE POULET, SAUCE CÉSAR

●

8 PORTIONS

8	médaillons de poulet
8	petits pains ronds
8	feuilles de laitue romaine, hachées grossièrement
8	tranches de tomates
	bacon, cuit croustillant, émietté (facultatif)

SAUCE

1	gousse d'ail, émincée
2 c. à s.	vinaigre de vin rouge
1 c. à s.	câpres
1 c. à s.	jus de citron
1 c. à s.	moutarde forte
2 c. à s.	huile de colza
1 c. à s.	eau
½ dl	mayonnaise
3 c. à s.	sbrinz *ou* parmesan râpé
1 c. à c.	sauce Worcestershire
2 c. à s.	bacon, cuit croustillant, émietté
	poivre

● Dans un bol, bien mélanger tous les ingrédients de la sauce. Couvrir et réfrigérer.

● Faire cuire les médaillons de poulet au barbecue et faire griller les pains.

● Badigeonner chaque pain de sauce, puis garnir d'un médaillon de poulet, d'une feuille de laitue et d'une tranche de tomate. Parsemer de bacon, si désiré.

●

CONSEIL

Remplacez le bacon par des filets d'anchois.

POULET CAMPAGNARD

6 À 8 PORTIONS

FARCE

½ dl	bouillon de volaille
100 g	carottes coupées en dés
120 g	oignons hachés
75 g	céleri coupé en dés
3 dl	crème de poulet très concentrée
1,25 dl	crème aigre *ou* yaourt nature, égoutté
450 g	poulet cuit coupé en dés
40 g	champignons émincés
1 c. à c.	sauce Worcestershire
1	pincée de poivre

GARNITURE

150 g	farine
2 c. à c.	levure chimique
2	œufs, battus
1,25 dl	lait
1 c. à s.	poivron vert haché
1 c. à s.	poivron rouge haché
150 g	emmental râpé

• Préchauffer le four à 180 °C.

• Dans une casserole, à feu moyen, verser le bouillon de volaille. Y faire cuire les légumes de la farce, sauf les champignons, 20 minutes environ.

• Ajouter le reste des ingrédients de la farce, bien mélanger. Déposer dans un plat allant au four. Réserver.

• Dans un bol, mélanger tous les ingrédients de la garniture, sauf 30 g de fromage râpé. Couvrir le mélange au poulet et aux légumes de cette préparation et faire cuire au four, 40 à 45 minutes.

• Vers la fin de la cuisson, parsemer du fromage réservé et faire gratiner.

CONSEIL

Accompagnez le canard de demi-poires ou de demi-pêches chaudes, garnies d'une gelée de petits fruits.

AIGUILLETTES DE CANARD AU POIVRE VERT

4 PORTIONS

3 c. à s.	poivre vert
2	grosses poitrines de canard, dégraissées
1 c. à s.	beurre
1 c. à s.	huile végétale
	sel

SAUCE

1 c. à s.	beurre
1	petite échalote rose, hachée finement
1 c. à s.	poivre vert
½ c. à c.	moutarde forte
2 c. à s.	calvados, brandy *ou* jus de pomme non sucré
¼ litre	sauce au jus coloré
½ dl	crème fleurette *ou* 3 c. à s. de yaourt nature
	persil haché

• Préchauffer le four à 200 °C.

• Avec le plat de la lame d'un couteau, écraser le poivre vert et en couvrir les poitrines de canard.

• Dans une sauteuse allant au four, faire chauffer le beurre et l'huile. À feu vif, y faire revenir les poitrines de canard environ 5 minutes, ou jusqu'à ce que la peau soit légèrement grillée. Saler.

• Enfourner et poursuivre la cuisson 10 à 15 minutes. La viande doit demeurer légèrement rosée après la cuisson. Retirer la viande de la sauteuse et réserver au chaud dans un plat de présentation.

• Pour préparer la sauce, dans une poêle, faire fondre le beurre. À feu vif, y faire revenir rapidement l'échalote rose et le poivre vert. Ajouter la moutarde et déglacer au calvados. Incorporer la sauce au jus coloré, laisser réduire un peu. Ajouter la crème et le persil; bien remuer.

• Trancher les poitrines de canard en aiguillettes. Dresser dans des assiettes préalablement chauffées. Accompagner de la sauce et d'une garniture de votre choix.

FILETS DE POULET À LA JAMAÏCAINE

●

2 PORTIONS

2	filets de poulet
½	oignon, haché
1	gousse d'ail, hachée
½	piment fort, haché (facultatif)
½ dl	jus d'orange
1 c. à s.	sauce soja
1 c. à c.	huile de maïs
1 c. à c.	vinaigre de vin
1 c. à c.	piment de la Jamaïque
1 c. à c.	thym séché
1 c. à c.	sucre
1 c. à c.	poivre noir
¼ c. à c.	cannelle en poudre
¼ c. à c.	muscade en poudre
	quelques gouttes de tabasco

●

• Dans le cœur de chaque filet de poulet, prélever une tranche ronde de 2 cm d'épaisseur sur 6 à 8 cm de diamètre. Barder, ficeler et mettre dans un plat de verre.

• Au robot ménager, mélanger tous les autres ingrédients. Verser sur les filets de poulet; bien les enrober de marinade.

• Couvrir et réfrigérer toute une nuit.

• Préchauffer le four à 230 °C.

• Retirer les filets de poulet de la marinade, les égoutter et les disposer sur une tôle. Enfourner et faire cuire 20 à 25 minutes, en arrosant légèrement avec la marinade pendant la cuisson.

●

CONSEIL

Accompagnez cette recette d'une salade de chou et d'un riz cuit à la vapeur.

POULET DES CARAÏBES

●

8 PORTIONS

———

1,5 kg	poulet, détaillé en morceaux
3	gousses d'ail, hachées
2 c. à s.	poudre de cari
2	oignons, coupés en lamelles
½ litre	eau
1½ c. à c.	persil haché
1	pincée de thym en poudre
1	pincée de sauge en poudre
2	pommes de terre moyennes, coupées en dés *ou* en tranches
1	courgette
4	petites échalotes nouvelles, hachées
1 c. à s.	concentré de tomates
1	petite aubergine, coupée en dés
	poivre fraîchement moulu
	piment fort
	jus de 3 citrons
	huile de maïs
	sel et poivre

———

• Essuyer le poulet, l'assaisonner de poivre et de piment fort, le parfumer avec 2 gousses d'ail et l'arroser du jus de 2 citrons.

• Dans une grande poêle à revêtement antiadhésif, faire chauffer un peu d'huile. Ajouter le poulet, saupoudrer de cari, parsemer d'oignons et bien faire dorer à découvert, en remuant souvent.

• Mouiller avec l'eau. Ajouter le persil, le thym et la sauge; laisser mijoter 10 minutes.

• Ajouter les pommes de terre et la courgette, assaisonner et poursuivre la cuisson 10 minutes.

• Incorporer les échalotes nouvelles, le concentré de tomates et l'aubergine et poursuivre la cuisson 15 minutes.

• En fin de cuisson, arroser de jus de citron et parfumer avec le reste d'ail.

●

PAUPIETTES DE DINDON FARCIES AUX ÉPINARDS

4 PORTIONS

8	escalopes de dindon de 60 g chacune
1 c. à s.	beurre
2 c. à s.	échalote nouvelle hachée finement
½ c. à c.	ail en poudre
½ c. à c.	thym séché
275 g	épinards cuits hachés
60 g	gruyère râpé

CHAPELURE

30 g	flocons de maïs émiettés
1 c. à s.	persil haché
1 c. à c.	paprika
2 c. à s.	beurre fondu

• Entre deux feuilles de pellicule plastique épaisse, aplatir les escalopes de dindon à 3 mm d'épaisseur avec un rouleau à pâtisserie; réserver.

• Dans une casserole, faire fondre le beurre. Ajouter l'échalote nouvelle, l'ail et le thym; faire cuire 2 minutes. Incorporer les épinards et faire cuire 5 minutes. Laisser refroidir et incorporer le fromage.

• Étaler le mélange sur les escalopes, les rouler sur elles-mêmes et réserver.

• Préchauffer le four à 180 °C.

• Mélanger les ingrédients de la chapelure. Bien enrober chacun des rouleaux de ce mélange. Disposer dans un plat allant au four, enfourner et faire cuire 10 minutes ou jusqu'à ce que la viande ne soit plus rosée à l'intérieur. Servir chaud.

Parsemez d'amandes coupées en lamelles, et garnissez le tour du plat de rondelles de tomates et d'œufs durs.

Fair

ÉMINCÉ DE DINDON, SAUCE AUX NOISETTES

●

4 PORTIONS

600 g	poitrine de dindon, désossée, sans peau, coupée en lanières de 2,5 cm sur 5 cm
45 g	beurre
¼ litre	crème fraîche épaisse
2 c. à s.	brandy, cognac *ou* vermouth (facultatif)
2 c. à s.	olives vertes hachées
2 c. à s.	persil haché
90 g	noisettes grillées hachées
450 g	fettucine *ou* linguine, cuits, chauds
1	pincée de muscade en poudre
	poivre
	farine

• Poivrer les lanières de dindon et les fariner légèrement.

• Dans une grande poêle, à feu moyen-vif, faire fondre le beurre, puis y faire dorer la viande. Retirer de la poêle et réserver.

• Verser la crème et le brandy dans la poêle. Porter à ébullition. Incorporer les olives et le persil. Ajouter les noisettes et faire cuire 5 minutes, ou jusqu'à ce que la sauce épaississe légèrement.

• Remettre la viande dans la poêle, laisser mijoter à découvert 5 minutes, ou jusqu'à ce que la viande ait perdu sa teinte rosée à l'intérieur. Assaisonner les pâtes chaudes de muscade et servir avec le dindon.

●

HAMBURGER DE POULET À LA GRECQUE

4 PORTIONS

450 g	poulet, haché
35 g	chapelure
1	œuf
2 c. à s.	lait
2 c. à s.	jus de citron
½ c. à c.	menthe séchée
½ c. à c.	origan séché
1 c. à s.	huile végétale
½ dl	mayonnaise
2	pains pita, coupés en deux
4	tranches d'oignon rouge
4	tranches de tomate
8	tranches de concombre
	poivre

• Dans un bol, mélanger le poulet, la chapelure, l'œuf, le lait, 1 c. à s. de jus de citron, la menthe, l'origan et le poivre. Façonner en 4 boulettes aplaties en palets bien compacts.

• Dans une poêle à revêtement antiadhésif, faire chauffer l'huile. À feu moyen-vif, y faire cuire les boulettes environ 8 minutes. Bien les faire griller sur les deux faces.

• Dans un petit bol, mélanger la mayonnaise et le reste du jus de citron. Étaler ce mélange à l'intérieur des pains pita, puis garnir chacun d'eux d'un palet de poulet, d'une tranche d'oignon, d'une tranche de tomate et de deux tranches de concombre.

PAELLA AU POULET ET AUX CREVETTES

●

4 PORTIONS

1 c. à s.	huile d'olive
250 g	poitrine de poulet, sans peau, coupée en dés
200 g	riz à grains longs
1	oignon moyen, haché
1	gousse d'ail, émincée finement
3,75 dl	bouillon de volaille
250 g	tomates concassées, avec leur jus
1 c. à c.	paprika
250 g	crevettes rouges, décortiquées et déveinées
1	poivron rouge, coupé en dés
1	poivron vert, coupé en dés
75 g	petits pois, cuits *ou* surgelés
	quelques filaments de safran, trempés dans un peu d'eau
	sel et poivre

• Dans une casserole à fond épais, faire chauffer l'huile et y faire colorer le poulet à feu vif.

• Ajouter le riz, l'oignon et l'ail; faire cuire jusqu'à ce que l'oignon devienne transparent et le riz, légèrement doré. Incorporer le bouillon de volaille, les tomates, le paprika et le safran. Porter à ébullition et laisser mijoter à couvert, 10 minutes.

• Ajouter les crevettes, les poivrons et les petits pois. Assaisonner et faire cuire à couvert 10 minutes, ou jusqu'à ce que le riz soit cuit et le liquide, absorbé. Servir chaud.

●

CONSEIL

Ajoutez, en même temps que les tomates, du filet de poisson coupé en morceaux.

POITRINES DE POULET GLACÉES AU MIEL

●

4 PORTIONS

---

50 g	farine
4	poitrines de poulet, désossées, sans peau
1 c. à s.	huile végétale
1 c. à s.	beurre
2 c. à s.	miel liquide
1 c. à s.	zeste de citron en fine julienne
1 c. à s.	origan *ou* estragon haché
	sel et poivre

• Préchauffer le four à 180 °C.

• Fariner légèrement les poitrines de poulet; réserver.

• Dans une poêle à revêtement antiadhésif, à feu moyen-vif, faire chauffer l'huile et le beurre. Y faire légèrement dorer la viande sur les deux faces. Assaisonner. Déposer dans un plat allant au four, enfourner et poursuivre la cuisson 10 à 15 minutes.

• Retirer l'excédent de graisse de cuisson de la poêle et y ajouter le miel, le zeste de citron et l'origan. Faire cuire à feu moyen jusqu'à ce que le mélange bouillonne. Ajouter les poitrines de poulet, les retourner pour bien les enrober de sauce et les faire caraméliser légèrement.

●

DINDE DIVAN

●

4 À 6 PORTIONS

3,75 dl	sauce blanche (voir p. 273)
2 c. à s.	vin blanc sec (facultatif)
½ dl	crème fleurette *ou* 3 c. à s. de yaourt nature
1	pincée de muscade en poudre
35 g	sbrinz *ou* parmesan râpé
30 g	gruyère râpé
175 g	bouquets de brocoli, cuits
10	tranches de dinde cuite
1	pincée de paprika
3 c. à s.	persil haché

• Dans une casserole, à feu moyen, faire chauffer la sauce blanche. Ajouter le vin et la crème, parfumer à la muscade et faire réduire jusqu'à l'obtention d'une sauce épaisse.

• Incorporer les fromages, bien mélanger. Réserver.

• Préchauffer le four à 180 °C.

• Disposer le brocoli dans un plat rectangulaire allant au four. Garnir des tranches de dinde et couvrir de la sauce au fromage. Saupoudrer de paprika et parsemer de persil. Couvrir d'une feuille de papier d'aluminium.

• Enfourner et faire cuire 8 à 10 minutes, ou jusqu'à ce que la préparation soit chaude. Servir aussitôt.

●

CONSEILS

Ajoutez à la sauce des légumes râpés.

●

Remplacez les tranches de dinde par des tranches de pain ou de roulades de dinde.

MÉDAILLONS DE POULET À LA MOUTARDE ET AU MIEL

●

2 PORTIONS

───────

1 c. à s.	miel
1½ c. à c.	moutarde forte
1½ c. à c.	jus de citron
¼ c. à c.	graines de pavot
1	pincée de poivre
4	médaillons de poulet

───────

• Préchauffer le four à 190 °C.

• Dans un bol, mélanger le miel, la moutarde, le jus de citron, les graines de pavot et le poivre. Réserver.

• Disposer les médaillons de poulet sur une tôle, enfourner et faire cuire 10 à 12 minutes.

• Badigeonner de marinade et terminer la cuisson sous la rampe du gril pendant quelques minutes. Servir.

●

ÉMINCÉ DE POULET AU SÉSAME ET AUX NOUILLES DE RIZ

●

2 PORTIONS

———

100 g	nouilles de riz chinoises *ou* vermicelles transparents
2 c. à c.	huile de sésame
1	gousse d'ail, hachée finement
1 c. à c.	racine de gingembre pelée et hachée finement
2	échalotes nouvelles, hachées
250 g	poitrine de poulet, sans peau, coupée en morceaux
½	poivron rouge, émincé
1	carotte, émincée en biais
100 g	bouquets de brocoli
100 g	bouquets de chou-fleur
3,75 dl	bouillon de volaille
100 g	haricots mange-tout
	eau bouillante

Remplacez la sauce de cette recette par une sauce faite avec du bouillon de volaille, de la fécule de maïs, de la sauce soja et du concentré de tomates. Ajoutez les nouilles en même temps que les haricots mange-tout et remuez pour bien les enrober de sauce.

SAUCE

2 c. à s.	fécule de maïs
2 c. à s.	sauce soja légère
2 c. à s.	sauce Hoi Sin (facultatif)
2 c. à c.	huile de sésame
¼ c. à c.	pâte de chili *ou* tabasco

———

• Dans un bol, déposer les nouilles, les couvrir d'eau bouillante et les laisser ramollir 5 à 8 minutes. Bien égoutter. Réserver au chaud.

• Dans une grande poêle à revêtement antiadhésif, faire chauffer l'huile à feu moyenvif. Y faire revenir rapidement l'ail, le gingembre et les échalotes nouvelles.

• Incorporer le poulet et faire cuire à feu vif, 2 minutes. Ajouter les légumes, sauf les haricots mange-tout. Mouiller avec le bouillon de volaille. Couvrir et faire cuire 3 à 4 minutes ou jusqu'à ce que les légumes soient *al dente*.

• Dans un bol, bien mélanger tous les ingrédients de la sauce; réserver.

• Dans la poêle, ajouter les haricots mangetout. Incorporer la sauce en remuant et faire cuire 1 minute pour l'épaissir. Servir sur un lit de nouilles.

●

BROCHETTES DE POULET KALAMATA *terrible*

●

4 PORTIONS

135 g	yaourt nature
15 g	persil haché
½ dl	vin blanc sec
2 c. à s.	origan haché
1 c. à c.	poivre noir
2	poitrines de poulet, désossées, sans peau, coupées en cubes
	jus de 1 citron
	ail en poudre

● Dans un bol, mélanger tous les ingrédients, sauf le poulet. Réserver.

● Enfiler les cubes de poulet sur des brochettes de bois préalablement trempées dans de l'eau, et disposer les brochettes dans un grand plat de verre creux. Couvrir de sauce.

● Laisser mariner au réfrigérateur 2 heures, en retournant les brochettes de temps en temps. Égoutter et réserver la sauce.

● Huiler légèrement une poêle à rainures pour grillades. À feu vif, y faire cuire les brochettes de poulet 5 minutes. Poursuivre la cuisson à feu moyen, jusqu'à ce que le poulet soit tendre et qu'il ait perdu sa teinte rosée à l'intérieur (environ 15 minutes).

● Entre-temps, faire chauffer la marinade jusqu'au point d'ébullition.

● Servir chaud avec la marinade.

●

CONSEIL

Faites cuire au four, à 220 °C, sur une tôle placée au centre du four.

Faites chauffer la sauce jusqu'au point d'ébullition.

Incorporez quelques dés de concombre, des olives noires hachées et du paprika, et servez avec les brochettes.

TAJINE DE POULET AU CITRON CONFIT ET AUX OLIVES

4 À 6 PORTIONS

1	poulet, coupé en morceaux
2	gros oignons rouges, émincés
10	olives vertes, hachées grossièrement
5 c. à s.	huile d'olive *ou* végétale
½ c. à c.	ail haché finement
1 c. à c.	cumin en poudre
1 c. à c.	gingembre en poudre *ou* 1 petit morceau de gingembre pilé
½ c. à c.	curcuma
1	feuille de laurier
1	branche de thym
1	citron confit (voir recette)
	poivre

GARNITURE
olives vertes, entières

lamelles de citron confit

menthe

Lorsque le bocal est ouvert, les citrons confits se conservent très bien au réfrigérateur. Il est possible de trouver des citrons confits dans des épiceries spécialisées.

• Mettre les morceaux de poulet dans un grand bol. Ajouter les oignons et les olives, et mélanger avec un peu d'huile.

• Dans un fait-tout, faire chauffer le reste de l'huile. Y faire saisir le mélange au poulet. Ajouter l'ail, le cumin, le gingembre, le curcuma, le laurier, le thym et le citron confit. Poivrer.

• Ajouter de l'eau pour couvrir et laisser mijoter 1 heure environ, ou jusqu'à ce que le poulet soit cuit.

• Pour servir, garnir d'olives vertes entières, de lamelles de citron confit et de menthe.

CITRONS CONFITS

2 kg	citrons (à peau fine)
	sel
	eau
	vinaigre blanc

• Brosser les citrons à l'eau courante. Les fendre en 4, de sorte qu'ils restent reliés aux deux extrémités.

• Vider les citrons de leur pulpe et les saler généreusement à l'intérieur.

• Entasser les citrons dans des bocaux stérilisés et couvrir complètement d'un mélange égal d'eau et de vinaigre blanc. Bien fermer les bocaux.

• Ranger les citrons pendant 3 semaines environ dans un endroit frais et sombre.

BLANCS DE POULET CROUSTILLANTS PARMENTIER

●

4 PORTIONS

---

3 c. à s.	moutarde forte
2	gousses d'ail, hachées finement
4	poitrines de poulet, sans peau, de 100 g chacune
350 g	pommes de terre épluchées et râpées
1½ c. à c.	huile d'olive
	ciboulette ciselée *ou* échalotes nouvelles hachées
	jus de ½ citron
	poivre

• Préchauffer le four à 220 °C.

• Dans un bol, mélanger la moutarde, l'ail et le jus de citron. Badigeonner le poulet de ce mélange et le disposer dans un plat allant au four. Réserver.

• Dans un bol, mélanger les pommes de terre et l'huile d'olive. Couvrir chaque morceau de poulet de pommes de terre; poivrer.

• Enfourner et faire cuire 30 minutes, jusqu'à ce que les pommes de terre soient dorées et que la viande ne soit plus rosée à l'intérieur.

• Poursuivre la cuisson 5 minutes sous la rampe du gril. Garnir de ciboulette et servir immédiatement.

●

CONSEIL

Si vous préparez vos pommes de terre à l'avance, réservez-les dans un bol d'eau glacée. Juste avant de les utiliser, égouttez-les et essuyez-les.

POULET VAPEUR
À L'**ESTRAGON**, EN **PAPILLOTE**

•

4 PORTIONS

---

5 c. à s.	huile d'olive *ou* végétale
1 c. à s.	estragon haché
4	poitrines de poulet, sans peau, désossées
	poivre
	zeste de ½ citron, émincé finement

• Dans un plat, mélanger l'huile, le poivre, l'estragon et le zeste de citron. Enrober les poitrines de poulet de ce mélange, couvrir et faire macérer au réfrigérateur au moins 3 heures.

• Préchauffer le four à 190 °C.

• Égoutter les poitrines de poulet, réserver le zeste de citron de la marinade. Disposer les poitrines de poulet sur des feuilles de papier d'aluminium, ajouter le zeste de citron.

• Bien refermer les papillotes, les déposer sur une tôle, enfourner et faire cuire 15 à 20 minutes.

•

MAGRETS DE CANARD AUX ÉPICES ET AUX FINES HERBES

●

4 PORTIONS

———

4	poitrines de canard
3 dl	jus d'orange *ou* jus de pomme non sucré
3 dl	eau
2 c. à c.	ail écrasé
2 c. à c.	origan séché
2 c. à c.	gingembre en poudre
2 c. à c.	miel
½ c. à c.	poivre noir moulu

———

• Pratiquer des incisions en biais sur chacune des poitrines de canard.

• Déposer la viande dans un plat peu profond. Réserver.

• Dans un bol, mélanger le reste des ingrédients. Verser sur les poitrines de canard, couvrir et réfrigérer 6 heures.

• Faire cuire au barbecue environ 20 minutes, en badigeonnant souvent de marinade et en retournant la viande à mi-cuisson.

• Servir avec des légumes.

●

CONSEIL

Accompagnez les poitrines de dinde de haricots mange-tout, de rondelles de carottes, de quelques bouquets de chou-fleur et d'un bol de riz.

TRANCHES DE DINDE À L'ORIENTALE

Easy Good

●

8 PORTIONS

───

1,25 dl	ketchup
½ dl	miel
2 c. à s. *TBL*	sauce soja légère
1 c. à c. *Tsp*	gingembre haché
1	gousse d'ail, hachée
4	tranches de poitrine de dinde

───

● Dans un grand bol, mélanger le ketchup, le miel, la sauce soja, le gingembre et l'ail.

● Ajouter la viande et bien l'enrober du mélange. Laisser mariner 30 minutes au réfrigérateur.

● Égoutter les tranches de viande, réserver la marinade.

● Faire cuire la viande au barbecue 12 à 15 minutes, ou jusqu'à ce qu'elle soit tendre et qu'elle ne soit plus rosée à l'intérieur. Badigeonner de marinade à la fin de la cuisson.

●

Tout comme le poulet, les poitrines de dinde sans la peau sont riches en protéines et pauvres en gras.

POULET à la KING
au YAOURT

●

4 PORTIONS

___

1 c. à s.	huile de maïs
200 g	champignons émincés
1	oignon moyen, haché finement
50 g	farine
5,5 dl	bouillon de volaille
2	carottes, coupées en dés
1	branche de céleri, coupée en dés
1 c. à c.	thym séché
½	poivron rouge, coupé en dés
300 g	poulet cuit coupé en dés
150 g	petits pois cuits
3 c. à s.	yaourt nature
2 c. à s.	persil haché
4	tranches de pain de mie de blé entier, grillées
	poivre
	paprika

___

• Dans une casserole, faire chauffer l'huile. À feu moyen, y faire revenir les champignons et l'oignon 3 minutes environ.

• Saupoudrer de farine. Bien mélanger, puis incorporer graduellement le bouillon. Porter à ébullition et faire cuire 3 à 5 minutes, ou jusqu'à l'obtention d'une sauce épaisse et lisse.

• Incorporer les carottes, le céleri et le thym.

• Baisser le feu. Couvrir et laisser mijoter 15 minutes, en remuant de temps en temps, jusqu'à ce que les légumes soient tendres.

• Ajouter le poivron rouge, le poulet et les petits pois.

• Bien faire réchauffer. Retirer du feu et incorporer le yaourt, le persil et le poivre. Bien mélanger.

• Dresser dans les assiettes. Accompagner d'une tranche de pain de mie grillée, coupée en pointes et saupoudrée de paprika.

●

POULET À L'ÉCHALOTE NOUVELLE, MARINÉ

●

4 PORTIONS

2	poitrines de poulet, sans peau, désossées et coupées en cubes
	huile pour la friture

MARINADE

4	échalotes nouvelles, émincées
2 c. à s.	sauce soja légère
1 c. à s.	sauce Hoi Sin
1 c. à s.	sauce chili
1 c. à s.	xérès *ou* vin blanc sec
40 g	farine de maïs
1	blanc d'œuf

• Dans un bol, bien mélanger tous les ingrédients de la marinade et y déposer les morceaux de poulet. Bien mélanger, couvrir et réfrigérer toute une nuit.

• Faire chauffer l'huile dans un wok ou dans une friteuse. Bien égoutter le poulet et le faire frire jusqu'à ce qu'il soit doré et tendre.

• Déposer sur du papier absorbant pour en retirer l'excédent de graisse.

• Servir immédiatement, accompagné de riz et d'un légume vert de votre choix.

●

PALETTES DE POULET
ET DE LÉGUMES GRILLÉS

●

4 PORTIONS

4	filets de poulet de 100 g chacun
3 c. à s.	sauce Teriyaki
1 c. à s.	gingembre coupé en julienne
1	poivron rouge, coupé en grosses lanières
1	poivron vert, coupé en grosses lanières
2	tomates, coupées en 4
1	oignon, coupé en 6
1	petite aubergine, coupée en rondelles de 2,5 cm d'épaisseur
2	pommes de terre, épluchées et coupées en tranches de 2,5 cm d'épaisseur

SAUCE

135 g	yaourt nature
1 c. à s.	bouillon de poulet concentré liquide
3 c. à s.	graines de tournesol

• Déposer les filets de poulet dans un plat peu profond, ajouter la sauce Teriyaki et le gingembre. Couvrir et laisser mariner 2 heures au réfrigérateur.

• Égoutter les filets de poulet. Les faire revenir au barbecue 1 à 2 minutes, puis les déposer dans un plat allant au four. Réserver.

• Préchauffer le four à 180 °C.

• Couvrir la grille du barbecue d'une feuille de papier d'aluminium. Y faire griller les légumes, puis les ajouter aux filets de poulet. Enfourner et poursuivre la cuisson 10 minutes environ.

• Dans un bol, mélanger le yaourt, le bouillon de poulet concentré et les graines de tournesol. Servir la sauce froide avec les palettes de poulet chaudes.

●

POULET à la JAVANAISE

6 PORTIONS

1 c. à s.	huile de maïs
1,5 kg	poulet, coupé en morceaux
2	oignons, coupés en dés
3	tomates, pelées
2 c. à c.	curcuma
4	gousses d'ail
1 c. à s.	racine de gingembre râpée
3	petits piments forts, épépinés (facultatif)
2 c. à c.	coriandre hachée
1 c. à c.	cumin en poudre
¼ litre	lait de coco
1 c. à s.	jus de citron
1 c. à s.	noix de coco non sucrée coupée en lamelles, légèrement grillée
2	bâtons de cannelle
	zeste râpé de ½ citron

• Dans une grande poêle, faire chauffer l'huile. À feu moyen, y faire dorer les morceaux de poulet.

• Retirer les morceaux de poulet et les égoutter sur du papier absorbant pour enlever l'excédent de graisse. Réserver.

• Faire dorer les oignons dans la poêle. Retirer de la poêle et réserver.

• Au robot ménager, bien mélanger les tomates, le curcuma, l'ail, le gingembre, les piments forts, la coriandre, le cumin, le lait de coco et le jus de citron.

• Verser le mélange dans la poêle. Ajouter les oignons, la noix de coco, le poulet, le zeste de citron et la cannelle; bien mélanger.

• Porter à ébullition, baisser le feu et poursuivre la cuisson 45 minutes, ou jusqu'à ce que le poulet soit bien tendre. Servir avec du riz.

LES
Viandes

MÉDAILLONS DE PORC AUX POIRES

•

2 PORTIONS

1	filet de porc, paré et tranché en médaillons
1	poire, non pelée
1 c. à s.	huile d'olive *ou* végétale
1	gousse d'ail, hachée
1	échalote rose, hachée
3 c. à s.	vinaigre balsamique *ou* aromatisé aux fruits
1,75 dl	fond brun
	poivre

• Avec le plat d'une batte à côtelette, aplatir chaque médaillon de porc à 1 cm d'épaisseur. Réserver.

• Couper la poire en deux, retirer le cœur, détailler la chair d'abord en tranches minces, puis en fine julienne. Réserver.

• Faire chauffer l'huile dans une casserole à revêtement antiadhésif. À feu moyen, y faire revenir les médaillons 3 minutes environ de chaque côté, jusqu'à ce qu'ils soient bien cuits. Les retirer de la casserole, poivrer et réserver au chaud.

• Baisser le feu. Faire sauter l'ail et l'échalote dans l'huile 1 minute, puis parfumer au vinaigre balsamique.

• Ajouter la poire; laisser cuire jusqu'à l'évaporation complète du liquide. Ajouter rapidement le fond brun; laisser mijoter un peu.

• Dresser les médaillons dans des assiettes chauffées. Garnir de poire et napper de sauce. Servir avec des endives braisées, si désiré.

•

FILET DE VEAU AUX TOMATES ET AU BASILIC

●

4 PORTIONS

---

675 g	filet de veau, bien dégraissé
I c. à s.	huile d'olive extra vierge
2	feuilles de laurier
I	branche de thym *ou* ½ c. à c. de thym séché
2	gousses d'ail
	sel et poivre

S A U C E

6	tomates bien mûres, mondées
I c. à s.	basilic haché *ou* ½ c. à c. de basilic séché
2 c. à c.	thym haché *ou* ½ c. à c. de thym séché
2 c. à s.	huile d'olive extra vierge
	sel et poivre

• Préchauffer le four à 200 °C.

• Badigeonner d'huile le filet de veau, l'assaisonner et réserver.

• À feu vif, faire chauffer une poêle à revêtement antiadhésif et y faire colorer la viande sur toutes ses faces.

• Dresser la viande dans un plat allant au four. Ajouter le laurier, le thym et l'ail. Enfourner et faire cuire 10 à 12 minutes. La viande doit demeurer rosée à l'intérieur.

• Sortir du four et laisser reposer.

• *Pour préparer la sauce*, couper les tomates en 6 quartiers, les épépiner, puis détailler la chair en dés.

• Mettre les tomates dans une casserole avec le basilic, le thym et l'huile. Assaisonner et faire chauffer à feu doux.

• Faire réchauffer le veau au four, 3 à 4 minutes. Trancher et servir avec la sauce tiède.

●

CONSEIL

Accompagnez cette recette de pâtes persillées.

PORC AUX PALOURDES À LA PORTUGAISE

●

4 PORTIONS

---

500 g	pointe de filet de porc, coupée en cubes
1 c. à c.	sel d'ail
1 c. à c.	paprika
1	pincée de poivre
¼ litre	vin blanc sec
2 c. à s.	beurre
1	oignon, coupé en rondelles
1	poivron rouge, coupé en lamelles
2	tomates, mondées, épépinées et hachées
250 g	palourdes en conserve, égouttées
2 c. à s.	coriandre hachée

Le porc est une viande relativement maigre. Le gras s'enlève souvent comme une pelure. De plus, le peu de gras contenu dans le porc est composé à 50 % de gras monoinsaturés.

• Saupoudrer la viande de sel d'ail, de paprika et de poivre. La mettre dans un plat fermant hermétiquement. Arroser de vin, fermer le plat et laisser mariner au réfrigérateur 12 heures.

• Égoutter la viande (réserver la marinade) et l'assécher avec du papier absorbant.

• Dans une grande poêle, faire fondre 1 c. à s. de beurre. Y faire dorer la viande environ 10 minutes, puis la mettre dans un plat allant au four.

• Préchauffer le four à 180 °C.

• Déglacer la poêle avec la marinade. Laisser réduire 5 minutes. Verser la sauce sur la viande.

• Essuyer la poêle et y faire fondre le reste du beurre. Ajouter les légumes, les faire cuire 4 minutes et les verser sur la viande. Ajouter les palourdes, parsemer de coriandre, enfourner et faire cuire 10 minutes.

●

1

Faire mariner le porc. Égoutter et assécher la viande.

2

Faire dorer la viande et la mettre dans un plat allant au four.

3

Déglacer la poêle avec la marinade.

4

Laisser réduire 5 minutes, puis verser sur la viande.

BROCHETTES DE BŒUF À L'INDONÉSIENNE

●

4 PORTIONS

---

500 g	filet de bœuf, détaillé en cubes
½ c. à c.	cumin en poudre
½ c. à c.	gingembre en poudre
½ c. à c.	poivre de Cayenne
¼ litre	vin blanc sec

SAUCE

1 c. à s.	menthe séchée
2 c. à s.	cassonade
¼ litre	jus d'orange non sucré
½ dl	vinaigre
1 c. à c.	épaississant pour sauces brunes

• Enfiler les cubes de bœuf sur des brochettes, puis les déposer dans un plat.

• Mélanger le cumin, le gingembre et le poivre de Cayenne. En saupoudrer la viande. Mouiller avec le vin, couvrir et laisser mariner 4 heures au réfrigérateur.

• Préchauffer le four à 200 °C.

• Retirer les brochettes de la marinade, égoutter, enfourner et faire cuire 20 à 30 minutes, selon le degré de cuisson désiré. Arroser souvent de marinade pendant la cuisson.

• Dans une petite casserole, mélanger tous les ingrédients de la sauce. Faire chauffer doucement, sans laisser bouillir, jusqu'à ce que la sauce épaississe.

• Servir les brochettes avec la sauce à part, dans une saucière.

●

CÔTELETTES D'AGNEAU À LA DIJONNAISE

•

6 PORTIONS

12	côtelettes d'agneau
2 c. à s.	moutarde forte
1 c. à c.	ail haché finement
¼ c. à c.	poivre noir en grains, broyé
	romarin *ou* thym

• Préchauffer le gril du four.

• Dégraisser les côtelettes d'agneau, puis les disposer sur la grille d'une plaque à rôtir.

• Dans un bol, mélanger la moutarde, le romarin, l'ail et le poivre. Enrober les côtelettes d'agneau de ce mélange.

• Enfourner et faire griller environ 6 minutes, en plaçant les côtelettes d'agneau à 10 cm de la rampe du gril. Retourner les côtelettes d'agneau et poursuivre la cuisson au four, 5 minutes. Garnir de brins de romarin si désiré, et servir.

•

CONSEIL

Les côtelettes d'agneau se mangent cuites à point, c'est-à-dire que la viande doit demeurer légèrement rosée.

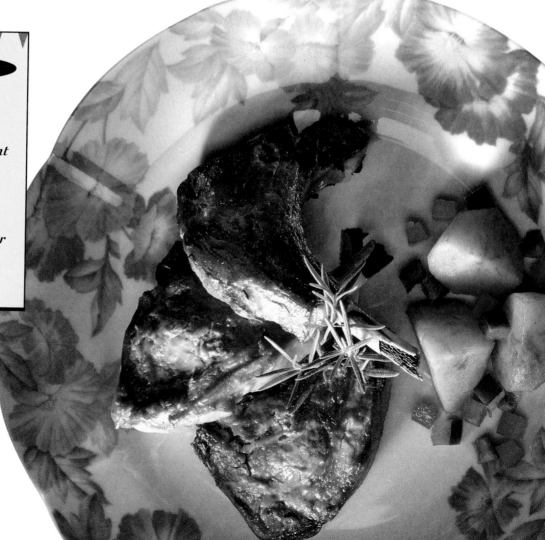

VEAU AUX FINES HERBES

•

4 PORTIONS

1 c. à s.	coriandre hachée
1 c. à s.	marjolaine hachée
1 c. à s.	persil haché
1 c. à s.	estragon haché
4	escalopes de veau d'environ 120 g chacune
4	grandes feuilles de laitue frisée
	poivre

• Dans un bol, mélanger les fines herbes et le poivre.

• Aplatir les escalopes de veau avec un maillet en bois ou le plat d'une batte à côtelette, puis les enrober du mélange aux fines herbes.

• Déposer chaque escalope de veau sur une feuille de laitue. Rouler, puis fixer avec un cure-dents.

• Faire cuire à la vapeur, 15 minutes.

• Servir accompagné de pâtes fraîches, si désiré.

RAGOÛT DE PORC
À LA DIJONNAISE

—•—

4 PORTIONS

—————

50 g	cassonade
50 g	farine
750 g	pointe de filet de porc, coupée en cubes
½ dl	moutarde forte
3 c. à s.	huile végétale
1	oignon moyen, haché
2	gousses d'ail, hachées finement
¼ litre	bouillon de volaille, dégraissé
1,25 dl	xérès *ou* vin blanc sec
4	pommes de terre, épluchées, coupées en cubes
2	carottes, pelées et coupées en rondelles
15 g	persil haché
	poivre

—————

• Préchauffer le four à 180 °C.

• Dans un plat peu profond, mélanger la cassonade et la farine. Réserver.

• Badigeonner légèrement les cubes de porc de moutarde, puis les rouler dans le mélange à la farine.

• À feu moyen, faire chauffer l'huile dans une poêle à revêtement antiadhésif. Y faire dorer les cubes de porc, puis les déposer dans un plat allant au four.

• Dans la poêle, faire cuire l'oignon 2 minutes environ, ou jusqu'à ce qu'il soit ramolli. Ajouter l'ail et les cubes de porc. Mouiller avec le bouillon de volaille et le xérès, porter à ébullition et faire cuire 1 minute.

• Verser dans le plat allant au four et ajouter les pommes de terre et les carottes. Couvrir, enfourner et faire cuire 40 minutes environ, ou jusqu'à ce que la viande soit tendre. Poivrer, parsemer de persil et servir.

—•—

BAVETTE MARINÉE

●

6 PORTIONS

―――

2	gousses d'ail, écrasées
½ c. à c.	sucre
4 c. à c.	moutarde forte
3 c. à s.	estragon *ou* romarin haché
3 c. à s.	coriandre hachée
½ dl	vinaigre aromatisé aux fruits
1,25 dl	huile de colza
1,5 kg	bavette à bifteck
1 c. à s.	bouillon de bœuf concentré liquide
	poivre moulu

―――

• Dans un plat, mélanger tous les ingrédients, sauf la viande et le bouillon de bœuf.

• Déposer la viande dans le plat et la retourner pour bien l'enrober du mélange. Couvrir d'une pellicule plastique et laisser mariner 3 heures à la température ambiante. Retourner et arroser souvent.

• Faire cuire au barbecue, à feu vif, 5 à 6 minutes de chaque côté. Badigeonner de bouillon de bœuf concentré pendant la cuisson. Laisser reposer 5 minutes, à couvert.

• Couper en tranches minces et dresser dans des assiettes. Accompagner de légumes et/ou d'une salade de votre choix.

●

OSSO-BUCO

●

4 PORTIONS

———

40 g	farine
4	tranches de jarret de veau
2 c. à s.	huile d'olive
1	oignon, haché
1	carotte, coupée en fines rondelles
1	branche de céleri, coupée en dés
1	feuille de laurier
1,25 dl	vin blanc sec
800 g	tomates en conserve
1 c. à s.	concentré de tomates
1	gousse d'ail, hachée finement
2 c. à s.	persil haché grossièrement
	zeste de ½ citron, râpé
	poivre

———

• Fariner les tranches de jarret.

• Dans une casserole, faire chauffer l'huile et y faire dorer la viande à feu vif, 3 à 4 minutes. Réserver sur une assiette.

• Dans la casserole, à feu moyen-vif, faire revenir l'oignon, la carotte, le céleri et le laurier, 4 minutes environ, en remuant de temps en temps.

• Mouiller avec le vin et laisser mijoter jusqu'à ce que le liquide réduise de moitié. Ajouter les tomates avec leur jus et le concentré de tomates. Poivrer et porter à ébullition.

• Remettre la viande dans la casserole, couvrir et laisser mijoter à feu doux, 1 heure environ, ou jusqu'à ce que la viande soit tendre et qu'elle se détache facilement de l'os.

• Retirer la viande, la dresser dans un plat de présentation et la réserver au chaud.

• Au robot ménager, réduire en purée les légumes et la sauce. Verser sur la viande.

• Mélanger l'ail, le zeste de citron et le persil et en parsemer la viande juste avant de servir.

●

Le persil frais est une excellente source de vitamines A et C, de calcium et de potassium.

RÔTI DE BŒUF
À LA GERMANIQUE

•

8 PORTIONS

___

2 kg	entrecôte
60 g	farine
2 c. à s.	huile de maïs
75 g	oignon haché

1	gousse d'ail, hachée finement
8	baies de genièvre
4	brins de persil
1	feuille de laurier
¼ litre	bouillon de bœuf
¼ litre	bière
½ c. à c.	sucre
2	carottes, hachées
2 c. à s.	beurre ramolli
	poivre

___

(Suite à la page suivante)

• Essuyer le rôti avec du papier absorbant et l'enrober de 40 g de farine. Enlever l'excédent de farine.

• Dans une casserole allant au four, faire chauffer l'huile à feu moyen-vif. Y faire dorer le rôti sur toutes ses faces. Retirer le rôti de la casserole et réserver.

• Préchauffer le four à 150 °C.

• Mettre l'oignon et l'ail dans la casserole et faire cuire en remuant souvent.

• Dans une mousseline, regrouper les baies de genièvre, le persil et le laurier. Nouer solidement et ajouter à la casserole. Mouiller avec le bouillon de bœuf et la bière ; ajouter le sucre et les carottes, et porter à ébullition.

• Remettre le rôti dans la casserole, couvrir, enfourner et faire cuire 2½ à 3 heures. Retourner à mi-cuisson. Retirer le rôti de la casserole et garder au chaud.

• Retirer les fines herbes et dégraisser le jus de cuisson.

• Dans un petit bol, mélanger le beurre et le reste de la farine. Incorporer petit à petit au jus de cuisson, en remuant vigoureusement. Faire cuire à feu moyen, en remuant, jusqu'à ce que la sauce épaississe. Poivrer et servir en saucière pour accompagner le rôti.

1

Faire dorer le rôti et le retirer de la casserole allant au four.

2

Mouiller avec le bouillon de bœuf et la bière.

3

Remettre le rôti dans la casserole et faire cuire au four.

4

Après avoir retiré le rôti de la casserole, préparer la sauce.

BROCHETTES DE PORC TERIYAKI

●

4 PORTIONS

———

MARINADE

5 c. à s.	jus de citron
½ dl	sauce soja
3 c. à s.	huile de maïs
2 c. à s.	bouillon de volaille concentré liquide
3 c. à s.	sauce chili
2	gousses d'ail, hachées
½ c. à c.	gingembre en poudre
¼ c. à c.	poivre

BROCHETTES

500 g	filet de porc, coupé en gros cubes
1	poivron vert et/*ou* rouge, coupé en gros dés
1	oignon moyen, coupé en gros dés
8	champignons, entiers *ou* coupés en deux
8	tomates cerises

SAUCE

135 g	yaourt nature
1	gousse d'ail, hachée
1	pincée d'origan séché

———

• Dans un bol, mélanger les ingrédients de la marinade; réserver.

• Enfiler la viande et les légumes sur des brochettes. Déposer dans un grand plat avec la marinade. Couvrir. Faire mariner au réfrigérateur 2 à 6 heures; retourner la viande de temps en temps.

• Retirer la viande de la marinade et la faire cuire sur la grille chauffée du barbecue. Badigeonner de marinade pendant la cuisson.

• Mélanger les ingrédients de la sauce; servir avec les brochettes.

●

CÔTELETTES D'AGNEAU
AUX AGRUMES

●

2 PORTIONS

———

4	côtelettes d'agneau, d'épaisseur moyenne
1	gousse d'ail
	échalotes nouvelles, hachées
	poivre

MARINADE

2	gousses d'ail, hachées finement
2 c. à s.	huile de colza
2 c. à c.	zeste de citron *ou* de citron vert râpé
4 c. à c.	jus de citron
2 c. à c.	thym haché *ou* ½ c. à c. de thym séché
	poivre

———

• Dégraisser les côtelettes d'agneau et les frotter avec l'ail. Réserver.

• Préparer la marinade en mélangeant bien tous les ingrédients dans un bol.

• Mettre les côtelettes d'agneau dans un plat peu profond et y verser la marinade. Couvrir et réfrigérer 3 heures en retournant les côtelettes d'agneau de temps en temps.

• Trente minutes avant la cuisson, sortir les côtelettes d'agneau du réfrigérateur.

• Retirer les côtelettes d'agneau de la marinade et les faire cuire au barbecue 8 minutes de chaque côté, ou jusqu'à ce qu'elles soient cuites à point. Poivrer et/ou badigeonner de marinade pendant la cuisson.

• Dresser les côtelettes d'agneau dans des assiettes. Garnir d'échalotes nouvelles hachées. Accompagner de pommes de terre ou d'un légume de votre choix.

●

STEAK TARTARE

●

2 PORTIONS

2	filets d'anchois, bien égouttés, hachés finement (facultatif)
2	jaunes d'œufs
1 c. à s.	huile (facultatif)
250 g	bifteck haché
2 c. à s.	oignon haché finement
1 c. à s.	câpres égouttées
2 c. à s.	persil haché finement
	poivre fraîchement moulu
	quelques gouttes de tabasco
	quelques gouttes de sauce Worcestershire

• Dans un bol de bois, de préférence, mélanger les anchois et les jaunes d'œufs. Tout en remuant, incorporer l'huile graduellement.

• Ajouter la viande, l'oignon, les câpres et le persil. Bien mélanger.

• Poivrer et incorporer le tabasco et la sauce Worcestershire. Façonner en deux boulettes légèrement aplaties.

• Dresser dans des assiettes; garnir de câpres, d'échalotes hachées et de filets d'anchois.

●

PORC et CHAMPIGNONS en CASSEROLE

●

2 PORTIONS

4	côtes de porc
1	oignon, tranché finement
100 g	champignons tranchés
2 c. à s.	persil haché
300 g	crème de champignon concentrée *ou* en conserve
2	pommes de terres, épluchées, coupées en tranches épaisses
2 c. à s.	beurre
	poivre

● Préchauffer le four à 180 °C.

● Dégraisser les côtes de porc. Graisser un plat allant au four et en garnir le fond d'oignon et de champignons. Disposer les côtes de porc sur ce mélange et poivrer.

● Parsemer de la moitié du persil. Ajouter la crème de champignon et couvrir des pommes de terre. Garnir de noisettes de beurre.

● Enfourner et faire cuire 40 minutes environ.

● Parsemer du reste de persil et servir.

●

FILETS D'AGNEAU
AU ROMARIN

•

2 PORTIONS

1 c. à s.	beurre
1 c. à s.	huile de maïs
1	gousse d'ail
4	tranches de filet d'agneau de 125 g chacune
4	brins de romarin
½ dl	vin blanc sec
	poivre

• Dans une poêle à revêtement antiadhésif, faire chauffer le beurre et l'huile. Y faire sauter l'ail quelques minutes pour parfumer l'huile. Retirer l'ail.

• Ajouter les tranches de filet d'agneau et le romarin; faire cuire au moins 10 minutes; retourner souvent pendant la cuisson.

• Dresser les tranches de filet d'agneau dans un plat de présentation réchauffé et réserver au chaud.

• Déglacer la poêle au vin, poivrer et faire bouillir jusqu'à l'obtention d'une sauce onctueuse.

• Remettre les tranches de filet d'agneau dans la poêle et faire revenir rapidement pour bien les enrober de sauce.

• Servir avec des pommes de terre et un légume vert de votre choix.

•

CÔTES DE VEAU AUX CHAMPIGNONS

•

2 PORTIONS

2	côtes de veau
2 c. à s.	beurre
200 g	champignons tranchés
75 g	oignon émincé
1	gousse d'ail, hachée finement
1,75 dl	vin blanc sec
3 dl	bouillon de bœuf *ou* de volaille
3 c. à s.	épaississant pour sauces brunes
1 à 2	pincées de thym *ou* estragon séché
	poivre

• Dégraisser les côtes de veau.

• Dans une casserole, faire fondre 1 c. à s. de beurre. À feu vif, y faire sauter les champignons, l'oignon et l'ail, 5 minutes environ.

• Mouiller avec le vin et le bouillon de bœuf; incorporer l'épaississant pour sauces. Laisser mijoter quelques minutes à feu doux, poivrer et parfumer au thym.

• Faire chauffer le reste du beurre dans une grande poêle. À feu vif, y faire cuire les côtes de veau en les retournant pendant la cuisson. Napper de sauce et servir.

•

GIGOT D'AGNEAU AU JUS

●

10 PORTIONS

———

1	gigot d'agneau paré de 2,5 kg
4 à 6	gousses d'ail, coupées en deux
1	carotte, hachée grossièrement
1	oignon, haché grossièrement
1	branche de céleri, hachée grossièrement
1	branche de thym, émiettée
3 c. à s.	beurre
2 c. à s.	moutarde forte
2 c. à s.	chapelure fine
1,25 dl	eau *ou* bouillon de volaille dégraissé
	poivre

———

• Préchauffer le four à 230 °C.

• Dégraisser le gigot d'agneau, puis le frotter et le piquer d'ail.

• Disposer les légumes dans une lèchefrite, puis y déposer le gigot d'agneau. Poivrer et réserver.

• Dans un bol, mélanger le thym, le beurre, la moutarde et la chapelure. Enrober le gigot du mélange. Enfourner et faire cuire 50 à 60 minutes, en arrosant de temps en temps avec l'eau.

• Après 30 minutes de cuisson, retourner le gigot.

• Retirer le gigot de la lèchefrite et le couper en fines tranches. Dresser dans un plat de présentation et réserver au chaud.

• Dégraisser le jus de cuisson et en arroser le gigot. Servir avec des pommes de terre et des flageolets, si désiré.

●

CONSEIL

Parfumez le jus de cuisson avec de la menthe fraîche.

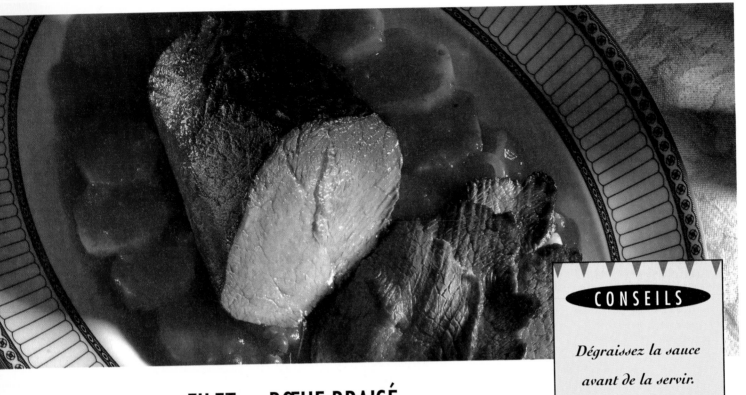

FILET de BŒUF BRAISÉ
aux OIGNONS ROUGES

4 PORTIONS

400 g	tomates entières en conserve
250 g	oignons rouges tranchés finement
2	gousses d'ail, hachées finement
750 g	filet de bœuf
½ dl	eau
2	pommes de terre, non épluchées et tranchées
1 c. à s.	fécule de maïs
1 c. à s.	eau froide
	poivre

• Préchauffer le four à 160 °C.

• Dans une casserole allant au four, étaler les tomates et la moitié des oignons et de l'ail. Disposer le filet de bœuf dessus. Couvrir du reste d'oignons et d'ail. Poivrer. Mouiller avec l'eau et couvrir.

CONSEILS

Dégraissez la sauce avant de la servir.

•

Tranchez le rôti avec un couteau bien aiguisé.

• Faire cuire au four 2½ à 3 heures, ou jusqu'à ce que la viande soit tendre. Quinze minutes avant la fin de la cuisson, ajouter les pommes de terre.

• Déposer le filet de bœuf et les oignons dans un plat de présentation, couvrir d'une feuille de papier d'aluminium et laisser reposer 10 minutes.

• Entre-temps, ajouter suffisamment d'eau au jus de cuisson dans la casserole, pour obtenir environ ¼ litre de liquide. Délayer la fécule de maïs dans 1 c. à s. d'eau froide et l'incorporer au jus de cuisson. Faire réduire, à feu moyen-vif, 2 à 3 minutes.

• Trancher le filet et le servir avec la sauce.

GRILLADES EL GAUCHO

•

8 PORTIONS

---

500 g	bavette à bifteck (incisée sur les deux faces)
500 g	poulet, sans peau, détaillé en morceaux
500 g	saucisses fumées
	MARINADE
1,25 dl	huile de maïs
½ dl	vinaigre de vin *ou* aromatisé aux fruits
20 g	persil haché
75 g	oignon haché
1,25 dl	bouillon de volaille
4	gousses d'ail, hachées
2 c. à c.	origan séché
2	feuilles de laurier
½ c. à c.	poivre de Cayenne
1	pincée de poivre

• Dans un bol, mélanger tous les ingrédients de la marinade. Déposer les viandes dans la marinade, couvrir et réfrigérer 1 heure.

• Faire cuire sur la grille chauffée du barbecue jusqu'au degré de cuisson désiré. Badigeonner de marinade à la fin de la cuisson. Servir avec des légumes grillés.

•

SAUTÉ D'AGNEAU À L'AIL

●

4 PORTIONS

———

2 c. à s.	huile d'olive
675 g	épaule d'agneau, désossée, détaillée en cubes
1 c. à s.	beurre
60 g	chapelure
3	gousses d'ail, hachées
3 c. à s.	persil haché
½ litre	bouillon de volaille dégraissé

———

• Dans une poêle, faire chauffer l'huile. Y faire revenir la viande sur toutes ses faces, sans la laisser rôtir. Retirer du feu et réserver.

• Dans une casserole, faire fondre le beurre. Y faire dorer la chapelure en remuant. Ajouter la viande et bien l'enrober de chapelure.

• Mélanger l'ail et le persil et en parsemer la viande.

• Mouiller avec le bouillon et laisser mijoter à feu doux 45 minutes, en remuant de temps en temps pour que la viande soit uniformément recouverte de chapelure et du mélange à l'ail. Si nécessaire, ajouter de l'eau pour allonger la sauce.

●

1

Dans une poêle, faire chauffer l'huile et y faire revenir la viande.

2

Dans une casserole, faire fondre le beurre. Y faire dorer la chapelure. Ajouter la viande.

3

Mélanger l'ail et le persil; en parsemer la viande.

4

Mouiller avec le bouillon et laisser mijoter en remuant.

CONSEIL

Faites toujours tremper les brochettes de bois dans de l'eau froide quelques minutes avant de les utiliser.

BROCHETTES TERBIALY

●

5 PORTIONS

———

1 kg	filet mignon, paré et détaillé en cubes
1 c. à c.	sel
1 c. à c.	poivre noir, moulu
2 c. à c.	piment de la Jamaïque
1 c. à c.	sumac (voir lexique)
1 c. à c.	piment rouge séché
5	gousses d'ail, broyées
1 c. à c.	jus de citron
1 c. à s.	concentré de tomates
1 c. à s.	huile d'olive
1	poivron rouge, coupé en morceaux
1	oignon rouge, coupé en quartiers

———

• Saler et poivrer les morceaux de viande. Réserver.

• Dans un plat, mélanger tous les autres ingrédients, y déposer les morceaux de viande et bien les enrober de marinade.

• Couvrir et faire mariner au réfrigérateur 1 heure.

• Retirer la viande de la marinade et monter les brochettes en alternant viande, poivron et oignon.

• Faire cuire à point au barbecue.

• Si désiré, servir avec du pain pita tartiné de beurre mou et de marinade, puis grillé sur le barbecue.

●

ESCALOPES DE VEAU SOUFFLÉES

●

2 PORTIONS

———

40 g	farine
2	grandes escalopes de veau minces, de 120 g chacune
1	œuf
½ dl	lait
30 g	gruyère *ou* emmental râpé
2 c. à s.	huile de maïs
	paprika
	muscade
	poivre
	rondelles de citron

———

• Fariner les escalopes de veau ; réserver.

• Dans un bol, mélanger l'œuf, le lait, le fromage, le paprika, la muscade et le poivre.

• Enrober les escalopes de ce mélange.

• Dans une poêle à revêtement antiadhésif, faire chauffer l'huile. À feu moyen-vif, y faire dorer les escalopes de veau sur les deux faces.

• Garnir d'une tranche de citron et servir avec des pâtes.

●

CÔTES DE PORC
AUX NOIX DE PECAN

4 PORTIONS

4	côtes de porc, désossées
4 c. à c.	moutarde forte
35 g	noix de pecan moulues
4 c. à c.	beurre ramolli
½ c. à c.	basilic séché
½ c. à c.	thym séché
2 c. à s.	graines de sésame

• Dégraisser les côtes de porc et les badigeonner de moutarde sur les deux faces. Réserver.

• Dans un bol, mélanger les noix de pecan, le beurre, le reste de la moutarde, le basilic et le thym; réserver.

• Faire cuire les côtes de porc au barbecue, 10 à 12 minutes. Retourner et poursuivre la cuisson 5 minutes.

• Badigeonner les côtes du mélange aux noix et poursuivre la cuisson 3 minutes ou jusqu'à ce que la viande ait perdu sa teinte rosée à l'intérieur.

• Parsemer de graines de sésame et servir avec un légume de votre choix.

HAMBURGERS DES CARAÏBES

●

12 PORTIONS

2 c. à c.	huile de maïs
1	oignon, haché finement
1	gousse d'ail, écrasée
1	poivron vert, épépiné et coupé finement
1 kg	bifteck haché
1 c. à c.	fines herbes séchées
2	œufs, battus
250 g	chapelure de pain de blé entier
60 g	gruyère râpé
1 c. à s.	concentré de tomates
12	tranches d'ananas
12	petits pains ronds
	beurre fondu
	poivre moulu

• Dans une casserole, faire chauffer l'huile. À feu moyen, faire revenir l'oignon, l'ail et le poivron 5 minutes. Laisser refroidir.

• Dans un bol, mélanger les légumes sautés avec le bifteck haché, les fines herbes, les œufs, la chapelure, le fromage et le concentré de tomates. Poivrer; façonner en 12 boulettes aplaties en palets bien compacts.

• Faire cuire les palets au barbecue, 8 à 10 minutes de chaque côté.

• Badigeonner les tranches d'ananas de beurre fondu et les faire cuire au barbecue 4 minutes, en les retournant à mi-cuisson. Faire griller légèrement les petits pains ronds.

• Garnir chaque petit pain d'un palet et d'une rondelle d'ananas grillée et servir.

●

TRAVERS DE PORC AU GINGEMBRE ET AU MIEL

•

4 À 6 PORTIONS

1,5 kg	travers de porc
1	morceau de racine de gingembre de 2,5 cm, haché finement
1,5 dl	miel
1 c. à c.	bouillon de légumes concentré liquide
2 c. à c.	moutarde forte
1 c. à c.	piment de la Jamaïque
	jus et zeste de 1 orange

ACCOMPAGNEMENT

4 à 6	pommes de terre
2 c. à s.	yaourt nature
2 c. à s.	échalotes nouvelles hachées

• Mettre les travers de porc dans une casserole; couvrir d'eau. Porter à ébullition, baisser le feu et laisser mijoter 30 à 35 minutes. Égoutter et réserver.

• Dans un bol, mélanger les autres ingrédients. Verser ce mélange dans une casserole, porter à ébullition et faire cuire jusqu'à ce que la sauce ait légèrement épaissi.

• Envelopper les pommes de terre dans du papier d'aluminium; les faire cuire au barbecue, à couvert, 35 à 40 minutes.

• Faire cuire les travers au barbecue 3 à 4 minutes de chaque côté; badigeonner de sauce pendant la cuisson.

• Servir avec les pommes de terre garnies de yaourt et d'échalotes nouvelles hachées.

•

BIFTECKS HACHÉS GRILLÉS
aux PIGNONS

●

4 À 6 PORTIONS

─────────

675 g	biteck haché, maigre
1	oignon haché finement
1	gousse d'ail, écrasée
25 g	mie de pain émiettée
50 g	romano *ou* parmesan râpé
120 g	pignons
30 g	persil haché finement
2	œufs
1 c. à c.	poivre noir
	huile de maïs

─────────

• Préchauffer le barbecue.

• Dans un bol, mélanger tous les ingrédients, sauf l'huile de maïs.

• Façonner en boulettes aplaties en palets bien compacts. Badigeonner d'huile.

• Faire cuire les palets au barbecue, à feu vif, environ 5 minutes de chaque côté, ou jusqu'à ce qu'ils soient dorés et croustillants.

• Servir avec un coulis de tomates et un légume vert de votre choix.

●

MÉDAILLONS DE PORC
AU VERMOUTH BLANC

●

6 PORTIONS

———

3	filets de porc, détaillés en médaillons de 1 cm d'épaisseur
½ c. à c.	paprika
40 g	farine
2 c. à s.	huile de maïs
1 c. à s.	beurre
1 c. à c.	échalote rose hachée
1 c. à c.	concentré de tomates
½ dl	vin rouge sec
¼ litre	bouillon de volaille
2 c. à s.	vermouth blanc sec
	poivre

———

• Entre deux feuilles de papier sulfurisé ou d'une pellicule plastique, aplatir légèrement les médaillons de porc avec le plat d'une batte à côtelette.

• Poivrer légèrement, saupoudrer de paprika et fariner.

• Dans une casserole, faire chauffer l'huile. Y faire dorer les médaillons de porc sur les deux faces. Retirer de la casserole et égoutter sur du papier absorbant.

• Dresser ensuite les médaillons de porc dans un plat de présentation et réserver au chaud.

• Dans l'huile chaude, faire fondre le beurre et y faire sauter rapidement l'échalote. Saupoudrer légèrement de farine et remuer jusqu'à ce que le beurre brunisse.

• Ajouter le concentré de tomates, retirer la casserole du feu et bien mélanger. Mouiller avec le vin rouge, poursuivre la cuisson à feu moyen et laisser réduire de moitié.

• Ajouter le bouillon de volaille et faire cuire quelques minutes. Parfumer au vermouth, puis filtrer.

• Napper les médaillons de sauce et servir avec des pâtes fines légèrement persillées.

●

ESCALOPES DE VEAU, SAUCE AUX CHAMPIGNONS

●

2 PORTIONS

2	escalopes de veau d'environ 150 g chacune
2 c. à s.	beurre
100 g	champignons émincés
½ c. à c.	thym séché
3 c. à s.	vin blanc sec *ou* vermouth blanc sec (facultatif)
¼ litre	sauce béchamel (voir p. 273)
	poivre

• Poivrer la viande; réserver.

• Dans une poêle, faire chauffer le beurre. À feu moyen, y faire dorer les escalopes de veau sur les deux faces. Retirer de la poêle, dresser dans un plat de présentation et réserver au chaud.

• Dans la poêle, faire revenir les champignons 4 à 5 minutes.

• Parsemer de thym, mouiller avec le vin et laisser réduire quelques minutes.

• Incorporer la sauce béchamel et faire cuire à feu doux, jusqu'à l'obtention d'une sauce lisse.

• Napper les escalopes de veau de sauce aux champignons et servir avec des légumes de votre choix.

●

215

CÔTELETTES D'AGNEAU AU CUMIN

●

2 PORTIONS

———

1 c. à s.	graines de cumin grillées et écrasées
¼ c. à c.	cannelle en poudre
3	gousses d'ail, écrasées
3 c. à s.	jus d'orange non sucré
2 c. à s.	huile de colza
4	côtelettes d'agneau

———

• Dans un bol, bien mélanger le cumin, la cannelle, les gousses d'ail, le jus d'orange et l'huile.

• Ajouter les côtelettes d'agneau, bien les enrober de marinade. Couvrir et laisser mariner à la température ambiante 2 heures, en retournant les côtelettes d'agneau de temps en temps.

• Préchauffer le four à 260 °C.

• Déposer les côtelettes d'agneau sur une tôle. Faire cuire au four environ 8 minutes de chaque côté, en arrosant souvent. Ajuster le temps de cuisson selon l'épaisseur des côtelettes. Laisser reposer 3 minutes et servir.

●

FILETS DE PORC AUX CHAMPIGNONS EN CACHETTE

●

2 PORTIONS

————

2	petits filets de porc
1	gousse d'ail, coupée en deux
½ c. à c.	thym frais
2 c. à s.	beurre
1	oignon, haché finement
2	branches de céleri, hachées
150 g	champignons émincés
4 c. à s.	crème fraîche épaisse
	persil haché
	poivre

————

• Préchauffer le four à 230 °C.

• Essuyer les filets de porc et les frotter avec l'ail, le poivre et le thym.

• Tailler 2 feuilles de papier d'aluminium en cercles suffisamment grands pour envelopper les filets de porc; réserver.

• Dans une poêle à revêtement antiadhésif, faire fondre 1 c. à s. de beurre. À feu vif, bien y faire colorer les filets de porc 3 à 4 minutes. Les retirer de la poêle et les déposer sur les feuilles de papier d'aluminium graissées. Réserver.

• Dans la même poêle, si nécessaire, ajouter le reste du beurre et, à feu vif, faire revenir l'oignon et le céleri 1 minute. Ajouter les champignons et faire cuire jusqu'à l'évaporation complète du liquide.

• Enrober chaque filet du mélange à l'oignon, garnir de 2 c. à s. de crème, parsemer de persil et envelopper dans le papier d'aluminium de façon à obtenir une papillote fermée hermétiquement.

• Mettre les papillotes au four, sur la grille du milieu, et faire cuire 18 à 20 minutes. Servir immédiatement.

●

CONSEIL

Remplacez les filets de porc par des poitrines de poulet sans la peau.

BŒUF AU CHOU CHINOIS

●

4 PORTIONS

---

1 c. à s.	sauce soja
1 c. à s.	vinaigre de riz
2 c. à s.	huile de maïs
1 c. à c.	sucre
1 c. à s.	fécule de maïs
1	pincée de sel
250 g	bavette à bifteck, émincée
300 g	chou chinois coupé en lanières
60 g	échalotes nouvelles tranchées
125 g	céleri tranché
75 g	carotte tranchée en biseau
1 c. à s.	gingembre haché finement
1,25 dl	bouillon de volaille
3 c. à s.	graines de sésame grillées

• Verser la sauce soja et le vinaigre dans un bol. Incorporer 1 c. à s. d'huile, le sucre, 1 c. à c. de fécule de maïs et le sel. Déposer la viande dans cette marinade, couvrir et réfrigérer jusqu'au lendemain, ou faire mariner 2 à 3 heures à la température ambiante.

• Retirer la viande de la marinade juste avant la cuisson. Ajouter le reste de fécule de maïs à la marinade et réserver.

• Faire chauffer le reste de l'huile, à feu vif, dans un wok. Y faire sauter la viande 2 à 3 minutes, ou jusqu'à ce qu'elle soit bien dorée.

• Ajouter le chou chinois, les échalotes nouvelles, le céleri, la carotte et le gingembre; faire revenir 1 minute. Incorporer le bouillon de volaille et la marinade, couvrir et faire cuire 2 à 3 minutes.

• Vérifier l'assaisonnement. Parsemer de graines de sésame grillées et servir.

●

1

Préparer la marinade et y déposer la viande.

2

Faire sauter la viande 2 à 3 minutes dans de l'huile, à feu vif.

3

Ajouter les légumes.

4

Incorporer le bouillon de volaille et la marinade.

MÉDAILLONS DE PORC, SAUCE AUX OLIVES NOIRES

•

2 PORTIONS

———

1	filet de porc
2	branches de thym *ou* d'origan
2	gousses d'ail, coupées en deux
1,25 dl	huile d'olive *ou* végétale
1 c. à s.	beurre
	poivre

S A U C E

2 c. à s.	brandy *ou* cognac
1	échalote rose
½ dl	vin blanc sec
½ dl	bouillon de volaille *ou* de bœuf
½ dl	crème fraîche épaisse *ou* fromage frais crémeux
50 g	olives noires, dénoyautées et réduites en purée
	jus de cuisson du porc
	poivre

———

• Poivrer le filet de porc et le déposer dans un plat à gratin avec le thym et l'ail. Arroser d'huile d'olive, couvrir d'une pellicule plastique, réfrigérer 3 heures environ.

• Retirer le filet de porc du plat et l'essuyer avec du papier absorbant. Tailler en médaillons de 2,5 cm d'épaisseur. Aplatir la viande avec le plat d'une batte à côtelette.

• Préchauffer le four à 200 °C.

• Dans une poêle, faire chauffer le beurre. À feu moyen-vif, y faire colorer rapidement les médaillons de porc sur les deux faces.

• Déposer dans un plat allant au four, enfourner et poursuivre la cuisson 4 minutes. Réserver le jus de cuisson.

• Jeter l'excédent de graisse de cuisson de la poêle, y verser le brandy et faire réduire, à feu moyen, jusqu'à l'évaporation presque complète du liquide.

• Ajouter l'échalote rose et le vin blanc; laisser cuire 1 minute. Mouiller avec le jus de cuisson réservé et le bouillon; faire réduire de moitié.

• Incorporer la crème fraîche et les olives noires, poivrer, remuer et faire réduire légèrement.

• Dresser les médaillons de porc dans des assiettes préalablement chauffées, napper de sauce et servir avec des pommes de terre.

•

FOIE DE VEAU AUX RAISINS

●

4 PORTIONS

---

75 g	raisins secs
¼ litre	thé tiède
2 c. à s.	huile de colza
1	oignon, tranché
675 g	foie de veau, coupé en dés
1,25 dl	vin blanc sec
	sel et poivre

- Faire tremper les raisins secs dans le thé pendant 1 heure.

- Dans une grande poêle, faire chauffer l'huile. À feu moyen, y faire blondir légèrement l'oignon.

- À feu moyen-vif, y faire saisir le foie de veau.

- Retirer le foie de veau de la poêle, la déglacer au vin, à feu moyen. Égoutter les raisins et les mettre dans la poêle.

- Remettre le foie de veau dans la poêle et laisser mijoter 5 minutes, à feu doux. Assaisonner.

●

CONSEIL

Remplacez les raisins secs par des pêches en conserve; le trempage dans le thé n'est plus nécessaire.

FILETS DE PORCELET FARCIS AUX TOMATES SÉCHÉES

●

4 PORTIONS

85 g	maïs en grains égoutté
60 g	poivron rouge coupé en dés
90 g	raisins secs Sultana
40 g	algues Hijiki réhydratées
1	pomme, pelée et coupée en dés
2 c. à c.	cardamome en poudre
2	filets de porcelet de 350 g chacun
1 c. à s.	huile de maïs
1	échalote rose, coupée finement
5 c. à s.	vermouth blanc sec *ou* vin blanc sec
½ litre	bouillon de volaille
30 g	tomates séchées
70 g	crème aigre

• Préchauffer le four à 180 °C.

• Dans un bol, mélanger le maïs, le poivron, les raisins secs, les algues, la pomme et la cardamome ; réserver.

• Avec un couteau tranchant, inciser les filets dans le sens de la longueur. Farcir avec le mélange réservé et fixer avec un cure-dents.

• Dans une poêle à revêtement antiadhésif, faire chauffer l'huile à feu vif, et y faire colorer les filets de porcelet. Déposer ensuite les filets sur un plat allant au four, enfourner et poursuivre la cuisson 15 minutes.

• Entre-temps, dans la poêle, ajouter l'échalote, remuer et déglacer au vermouth. Ajouter le bouillon de volaille et les tomates séchées; laisser réduire de moitié.

• Réduire en purée au robot ménager, remettre dans la poêle, à feu doux, et incorporer la crème aigre.

• Napper les assiettes de sauce, y déposer des tranches de filet et servir.

●

BROCHETTES DE LAPIN À LA MARTINIQUAISE

4 À 6 PORTIONS

1	lapin, désossé et coupé en cubes
250 g	bacon, tranché et coupé en lanières
2	gros oignons, coupés en morceaux
1	poivron vert, coupé en morceaux
1	poivron rouge, coupé en morceaux
24	champignons, équeutés
12	tomates cerises

MARINADE

3	échalotes roses, hachées
2	gousses d'ail, hachées finement
1	piment fort, haché finement
4	échalotes nouvelles, hachées
1	feuille de laurier
1	pincée de thym en poudre
1	pincée de romarin en poudre
1	pincée de piment de la Jamaïque
½ dl	rhum ambré
1,25 dl	huile de maïs
	jus de 2 citrons verts
	zeste de 1 citron vert
	rondelles de carotte et d'oignon
	sel et poivre

• Dans un grand bol, mélanger tous les ingrédients de la marinade.

• Ajouter le lapin, couvrir et laisser mariner 3 à 4 heures au réfrigérateur.

• Retirer le lapin de la marinade, égoutter et entourer chaque morceau de bacon.

• Enfiler sur des brochettes, en alternant avec les légumes.

• Faire cuire au barbecue, en badigeonnant de marinade pendant la cuisson.

BAVETTE MARINÉE
À LA **BIÈRE**

●

4 PORTIONS

---

500 g	bavette à bifteck

MARINADE

1	gros oignon, coupé en rondelles
2	gousses d'ail, hachées
½ dl	huile de maïs
¼ litre	bière
5 c. à s.	jus de citron
2 c. à s.	cassonade
2 c. à s.	sauce Worcestershire

(Suite à la page suivante)

• Dans un plat peu profond, mélanger les ingrédients de la marinade.

• Déposer la viande dans un plat de verre peu profond et l'arroser de marinade. Couvrir d'une feuille de papier d'aluminium et réfrigérer au moins 6 heures. Retourner la viande de temps en temps.

• Retirer la viande de la marinade. Bien l'égoutter et la faire griller à la poêle, ou au barbecue, selon le degré de cuisson désiré, en badigeonnant souvent de marinade pendant la cuisson.

COMMENT FAIRE MARINER UNE BAVETTE À BIFTECK

Dans un bol, mélanger tous les ingrédients de la marinade.

Dans un plat de verre peu profond, déposer la pièce de viande et bien l'arroser de marinade.

Couvrir d'une feuille de papier d'aluminium et réfrigérer au moins 6 heures. Retourner la viande de temps en temps.

Retirer la viande de la marinade, bien l'égoutter et procéder à la cuisson.

CASSEROLE AU BIFTECK HACHÉ ET AUX LÉGUMES

4 PORTIONS

1 c. à s.	beurre
½	oignon, haché finement
250 g	bifteck haché, maigre
250 g	viande de veau maigre hachée
1	gousse d'ail, émincée
550 g	tomates en conserve, hachées grossièrement, le jus réservé
1 litre	bouillon de bœuf
½ c. à c.	thym séché
250 g	mélange de légumes, détaillés en petits morceaux
	persil haché
	poivre

• Dans une casserole, à feu vif, faire fondre le beurre.

• Ajouter l'oignon, les viandes hachées et l'ail. Faire revenir 4 à 5 minutes, à feu vif ; remuer de temps en temps pour faire brunir la viande.

• Incorporer les tomates et leur jus, le bouillon de bœuf et le thym

• Porter à ébullition, couvrir à demi et laisser mijoter 30 minutes, à feu doux.

• Ajouter les légumes, le persil et le poivre. Poursuivre la cuisson 20 à 30 minutes, à feu doux.

JAMBON ROSÉ À L'ANCIENNE

●

6 À 8 PORTIONS

---

3 c. à s.	épices à marinade
1	feuille de laurier
1 c. à s.	moutarde sèche
½ dl	mélasse
3 c. à s.	cassonade
½ dl	vinaigre blanc
2 kg	jambon *ou* milieu d'épaule de porc avec os

• Dans un bol, bien mélanger les épices à marinade, le laurier, la moutarde sèche, la mélasse, la cassonade et le vinaigre blanc. Réserver.

• Déposer le jambon dans une casserole et le couvrir d'eau.

• Ajouter le mélange aux épices.

• Faire cuire à feu doux, 1 à 2 heures. Laisser refroidir dans le jus de cuisson.

●

CONSEIL

Enrobez le jambon du mélange aux épices, couvrez d'une feuille de papier d'aluminium et faites cuire au four préchauffé à 190 ℃, 50 à 60 minutes.

CÔTELETTES D'AGNEAU EN CACHETTE

●

4 PORTIONS

─────

3,75 dl	sauce béchamel (voir p. 273)
35 g	bleu
1,25 dl	huile d'olive vierge
2	pincées de thym séché
1	gousse d'ail, hachée finement
8	côtelettes d'agneau
8	feuilles de chou, blanchies
1	oignon moyen, tranché
½ dl	bouillon de volaille
	poivre

─────

• Préchauffer le four à 190 °C.

• Préparer la sauce béchamel et y incorporer le bleu. Laisser refroidir.

• Dans un plat, mélanger l'huile d'olive, le thym, l'ail et le poivre. Déposer les côtelettes d'agneau dans le plat, couvrir et faire mariner au réfrigérateur 30 minutes environ.

• Retirer les côtelettes d'agneau de la marinade et les faire dorer à feu vif, dans une poêle à revêtement antiadhésif.

• Déposer une côtelette d'agneau sur une feuille de chou, napper de sauce béchamel et garnir d'une tranche d'oignon. Refermer la feuille de chou sur la côtelette d'agneau en laissant dépasser l'os. Recommencer avec chaque côtelette d'agneau.

• Déposer dans un plat allant au four et mouiller avec le bouillon de volaille. Enfourner et faire cuire 6 à 10 minutes, selon le degré de cuisson désiré.

• Dresser dans des assiettes préalablement chauffées. Servir avec du bulghur ou une garniture de légumes de votre choix.

●

1

Mélanger la sauce béchamel et le bleu.

2

Faire mariner les côtelettes d'agneau.

3

Garnir les côtelettes d'agneau, et les envelopper dans une feuille de chou.

4

Mouiller avec le bouillon de volaille et faire cuire au four.

CONSEIL

Remplacez le bœuf par des cubes de poulet, sans la peau.

BŒUF aux CAROTTES

4 PORTIONS

2 c. à s.	farine
½ c. à c.	paprika
500 g	tranche *ou* pointe de culotte détaillée en cubes
2 c. à s.	huile végétale
3 c. à s.	beurre
1	branche de céleri, coupée en morceaux
300 g	carottes coupées en morceaux
75 g	oignon haché
½ dl	vin blanc sec
1,25 dl	bouillon de bœuf *ou* de volaille
1 c. à s.	persil haché
	poivre

• Préchauffer le four à 180 °C.

• Dans un bol, mélanger la farine, le paprika et le poivre.

• Fariner légèrement les cubes de bœuf; réserver.

• Dans une poêle à revêtement antiadhésif, faire chauffer l'huile et 2 c. à s. de beurre. Y faire dorer la viande, puis la déposer dans un plat allant four. Réserver.

• Faire chauffer le reste du beurre dans la poêle. À feu moyen, y faire revenir le céleri, les carottes et l'oignon 3 à 4 minutes, en remuant souvent avec une cuillère de bois.

• Déglacer au vin blanc. Incorporer le bouillon de bœuf et porter à ébullition. Verser sur les cubes de bœuf, couvrir, enfourner et faire cuire 40 à 45 minutes ou jusqu'à ce que la viande et les légumes soient tendres. Parsemer de persil et servir.

LONGE DE PORC AU GINGEMBRE ET À LA MANGUE

●

4 PORTIONS

———

675 g	rôti de porc, désossé et dégraissé

MARINADE

75 g	marmelade de citron et /ou d'orange
2 c. à s.	xérès
2 c. à s.	racine de gingembre hachée
2 c. à c.	ail haché
2 c. à c.	moutarde forte
2 c. à c.	sauce soja légère
2 c. à c.	huile de sésame ou végétale
I c. à c.	zeste de citron râpé

GARNITURE

I	mangue, pelée, coupée en dés
50 g	oignon rouge coupé en dés
50 g	concombre coupé en dés
2 c. à s.	jus de citron vert
½ c. à c.	zeste de citron vert
¼ c. à c.	cumin en poudre ou cari

———

• Pour préparer la marinade, dans un plat allant au four, mélanger tous les ingrédients de la marinade. Y déposer le rôti de porc et le rouler dans la marinade pour bien l'en enrober. Couvrir et réfrigérer au moins 4 heures, en prenant soin de retourner la viande de temps en temps.

• Dans un petit bol, mélanger tous les ingrédients de la garniture. Couvrir et laisser reposer 1 à 2 heures. Réserver.

• Préchauffer le four à 180 °C.

• Retirer le rôti du plat, enfourner et faire cuire, à découvert, 1½ à 2 heures, en arrosant souvent de marinade pendant la cuisson.

• Laisser reposer quelques minutes, trancher et servir avec la garniture à la mangue.

●

CONSEIL

Pour réaliser cette recette en moins de temps, utilisez des filets de porc.

CÔTELETTES D'AGNEAU MARINÉES AU ROMARIN

●

2 PORTIONS

2 c. à s.	huile d'olive *ou* végétale
2 c. à c.	zeste de citron râpé
½ dl	vin rouge sec
2	gousses d'ail, hachées finement
½ c. à c.	romarin séché
4 à 6	côtelettes d'agneau, dégraissées
	poivre
	tiges de romarin (garniture)

• Dans un plat, bien mélanger l'huile, le zeste de citron, le vin rouge, l'ail et le romarin. Y déposer les côtelettes d'agneau et bien les enrober de marinade.

• Couvrir et réfrigérer 1½ à 2 heures, en retournant la viande de temps en temps.

• Préchauffer le four à 200 °C.

• Retirer les côtelettes d'agneau de la marinade et les mettre dans un plat allant au four. Enfourner et faire cuire, sur la grille supérieure, 5 à 6 minutes de chaque côté ou jusqu'à ce qu'elles soient cuites mais encore rosées à l'intérieur. Poivrer. Garnir de tiges de romarin et servir.

●

POCHETTES DE VIANDE ET D'AUBERGINE

●

4 PORTIONS

———————————

½	aubergine, non pelée, coupée grossièrement
2	échalotes roses, hachées finement
2	gousses d'ail, hachées
1 c. à s.	beurre
150 g	porc *ou* poulet, détaillé en fines lamelles
1	poivron, coupé en dés
1	pomme de terre, non épluchée, coupée en dés
3,75 dl	sauce tomate
1	pincée de cari
4 à 5	feuilles de pâte filo
3 c. à s.	beurre fondu
	poivre

———————————

• Au robot ménager, réduire en purée l'aubergine, les échalotes et l'ail. Réserver.

• Dans une poêle à revêtement antiadhésif, faire fondre un peu de beurre. Y faire cuire la viande 2 à 3 minutes, puis ajouter la préparation à l'aubergine.

• Ajouter le poivron, la pomme de terre et 1,25 dl de sauce tomate. Laisser mijoter, poivrer et parfumer au cari. Laisser tiédir à la température ambiante.

• Préchauffer le four à 230 °C.

• Sur un plan de travail, superposer les feuilles de pâte filo. Badigeonner de beurre. Détailler en 4 carrés égaux.

• Répartir la farce entre les carrés de pâte, puis replier la pâte par-dessus la farce pour former un chausson.

• Badigeonner les bords de la pâte de beurre fondu. Déposer sur une tôle, enfourner et faire cuire 15 minutes ou jusqu'à ce que les pochettes soient dorées.

• Faire chauffer le reste de la sauce tomate. En napper le fond des assiettes préalablement chauffées, y déposer une pochette de viande et servir.

●

CÔTES DE PORC
AU THYM ET AU MIEL

4 PORTIONS

4	côtes de porc d'environ 150 g chacune
2 c. à s.	huile de colza
2 c. à s.	jus de citron
4 c. à c.	miel
2 c. à c.	moutarde forte
1 c. à c.	thym séché
	sel et poivre

• Dégraisser les côtes de porc et les déposer dans un plat de verre peu profond.

• Dans un bol, mélanger au fouet l'huile, le jus de citron, le miel, la moutarde et le thym. Verser sur les côtes de porc, couvrir et laisser mariner 8 heures au réfrigérateur, en retournant les côtes de porc plusieurs fois.

• Préchauffer le four à 180 °C.

• Égoutter les côtes de porc, les déposer dans un plat allant au four, enfourner et faire cuire 15 minutes.

• Retourner les côtes de porc et poursuivre la cuisson 20 minutes. Arroser de temps en temps pendant la cuisson. Assaisonner et servir avec des pommes de terre, si désiré.

CONSEIL

Toutes les coupes de porc peuvent être utilisées pour préparer cette recette.

BOULETTES DE VEAU À LA DUXELLES

●

4 PORTIONS

───────

1 c. à c.	beurre
100 g	champignons hachés
60 g	épinards essorés et hachés
600 g	viande de veau maigre hachée
1	œuf
8	craquelins de blé entier *ou* ordinaires, émiettés
1	pincée de sauge en poudre
½ litre	fond brun de veau
1,25 dl	babeurre *ou* crème fleurette
1	feuille de laurier
	poivre

• Dans une poêle à revêtement antiadhésif, à feu vif, faire fondre le beurre et y faire revenir les champignons jusqu'à l'évaporation complète du liquide.

• Ajouter les épinards. Mélanger, retirer du feu et laisser refroidir.

• Dans un bol, mélanger la viande hachée, l'œuf, les craquelins, le mélange aux champignons, la sauge et le poivre.

• Façonner en boulettes d'environ 3 cm de diamètre et les faire revenir dans la poêle.

• Ajouter le fond brun, le babeurre et le laurier. Faire mijoter à feu doux, 30 à 40 minutes.

• Servir avec des pommes de terre vapeur, si désiré.

●

ESCALOPES DE VEAU ROULÉES, AU PAPRIKA

●

4 PORTIONS

2	poivrons rouges
1 c. à s.	paprika
30 g	chapelure
500 g	escalopes de veau
2 c. à s.	sauce Teriyaki
1	œuf, battu
1 c. à s.	huile de maïs
1 c. à s.	beurre
½ dl	vermouth blanc sec
3,75 dl	bouillon de légumes
1 c. à c.	paprika
50 g	beurre de cacahuètes crémeux
1 c. à s.	crème aigre

• Faire griller les poivrons au four. Dès que la peau noircit, les sortir du four, les déposer dans un sac en papier et laisser suer 10 minutes.

• Peler et épépiner les poivrons, les couper en deux et réserver.

• Dans un bol, mélanger le paprika et la chapelure; réserver.

• Faire mariner les escalopes de veau dans la sauce Teriyaki 30 minutes.

• Préchauffer le four à 180 °C.

• Retirer les escalopes de la sauce Teriyaki, les égoutter et enduire une seule face d'œuf battu, puis du mélange au paprika. Rouler, le côté pané vers l'extérieur, et réserver.

• Dans une poêle à revêtement antiadhésif, faire chauffer l'huile et le beurre. À feu vif, y faire dorer les escalopes, 3 à 4 minutes. Retirer les escalopes de la poêle, les déposer dans un plat allant au four, enfourner et poursuivre la cuisson 15 à 20 minutes.

• Entre-temps, dans la même poêle, faire sauter les poivrons rouges. Déglacer au vermouth, ajouter le bouillon de légumes, le paprika et le beurre de cacahuètes ; laisser réduire 5 minutes, à feu vif.

• Réduire en purée au robot ménager, remettre dans la poêle et incorporer la crème aigre.

• Napper de sauce le fond des assiettes chauffées, y déposer les escalopes et servir.

●

BIFTECKS TERRA MARE

●

4 PORTIONS

―――

1 c. à s.	beurre
3	échalotes nouvelles, hachées finement
2	kiwis, pelés et coupés en dés
150 g	crevettes rouges *ou* chair de crabe
25 g	chapelure
2 c. à s.	jus de citron
2 c. à s.	vermouth blanc sec
4	tranches de faux-filet de 3 cm d'épaisseur
1 c. à s.	bouillon de bœuf concentré, liquide
	poivre
	persil haché
	huile de maïs

―――

• Dans un bol, bien mélanger tous les ingrédients, sauf la viande, l'huile de maïs et le bouillon de bœuf concentré. Réserver.

• Pratiquer une entaille profonde dans chacune des tranches de bœuf, dans le sens de la longueur.

• Farcir du mélange réservé et refermer l'ouverture avec des cure-dents ou des brochettes de bois.

• Badigeonner la viande d'huile et la faire cuire au barbecue, à intensité moyenne-vive, 10 à 18 minutes, selon le degré de cuisson désiré.

• Badigeonner de bouillon de bœuf concentré pendant la cuisson.

• Servir avec une salade de tomates et de concombres.

●

VEAU FARCI EN PAPILLOTE

8 PORTIONS

3 c. à s.	beurre ramolli
12	olives vertes, dénoyautées et hachées
60 g	pignons hachés finement
125 g	chapelure de blé entier
8	escalopes de veau, bien aplaties
400 g	tomates en conserve
1	gousse d'ail
1	pincée de persil haché
5 c. à s.	vin rouge sec
	poivre

• Dans un bol, bien mélanger le beurre, les olives, les pignons, la chapelure et le poivre.

• Déposer cette farce sur une des extrémités des escalopes, puis rouler les escalopes sur elles-mêmes.

• Envelopper chaque rouleau dans une feuille de papier d'aluminium et faire cuire au barbecue, à couvert, 20 minutes ou jusqu'à ce que la viande soit tendre. Tourner les rouleaux à mi-cuisson.

• Au robot ménager, mélanger le reste des ingrédients. Filtrer, verser dans une casserole et faire cuire à feu moyen, en remuant sans cesse. Servir avec les papillotes de veau; accompagner de riz, si désiré.

ROULÉS DE BŒUF

8 PORTIONS

1 c. à s.	beurre
500 g	bifteck haché, maigre
1	oignon, émincé
½ dl	ketchup aux tomates
¼ c. à c.	sel d'ail
¼ c. à c.	poivre
1,75 dl	crème d'asperge *ou* autre, du commerce
400 g	farine
2 c. à s.	levure chimique
½ c. à c.	sel
1 c. à c.	cari
100 g	graisse végétale
1,75 dl	lait

• Dans une poêle à revêtement antiadhésif, faire fondre le beurre. À feu moyen-vif, y faire revenir le bœuf et l'oignon.

• Incorporer au bœuf le ketchup, le sel d'ail, le poivre et la crème d'asperge. Laisser refroidir et réserver.

• Préchauffer le four à 200 °C.

• Dans un bol, tamiser la farine, la levure chimique, le sel et le cari. Au robot ménager, mélanger les ingrédients secs, puis ajouter la graisse végétale peu à peu.

• Incorporer le lait graduellement pour obtenir une pâte assez ferme. Renverser sur une planche farinée et pétrir 10 secondes.

• Abaisser en un carré de 30 cm de côté; y étaler le mélange à la viande. Façonner en rouleau et sceller le bord de la pâte avec un peu d'eau.

• Détailler en 8 tranches de 4 cm d'épaisseur. Disposer en couronne sur une tôle légèrement graissée et farinée, en plaçant une tranche au milieu.

• Enfourner et faire cuire 20 à 25 minutes. Servir chaud et accompagner d'une sauce tomate, si désiré.

RÔTI DE CÔTES MAGYAR

8 PORTIONS

---

2 kg	rôti de basses côtes
2 c. à s.	huile de maïs
175 g	oignons hachés
150 g	carottes hachées
125 g	céleri haché
150 g	panais haché
¼ litre	jus de raisin blanc non sucré
¼ litre	bouillon de bœuf
75 g	jambon haché
1 c. à s.	fécule de maïs, délayée dans un peu d'eau froide
	poivre

• Préchauffer le four à 150 °C.

• Essuyer le rôti; réserver.

• Dans une cocotte allant four, faire chauffer l'huile à feu moyen-vif. Bien y faire dorer le rôti sur toutes ses faces. Retirer de la cocotte et réserver.

• Dans la cocotte, faire dorer les oignons en remuant souvent. Ajouter les carottes, le céleri, le panais, le jus de raisin, le bouillon de bœuf et le jambon. Porter à ébullition.

• Remettre le rôti dans la cocotte. Couvrir, enfourner et faire cuire 2½ à 3 heures. Tourner à mi-cuisson. Sortir le rôti du four, couvrir et réserver au chaud.

• Dégraisser le jus de cuisson, puis incorporer la fécule de maïs. Faire cuire à feu doux, en remuant constamment, 1 à 2 minutes ou jusqu'à ce que la sauce épaississe. Poivrer.

• Napper la viande de sauce et servir.

CONSEIL

Remplacez le brocochou par du chou-fleur ou par du brocoli.

POT-au-FEU D'AGNEAU AUX FINES HERBES ET À L'AIL

4 PORTIONS

150 g	carottes pelées coupées en rondelles
150 g	courgettes non pelées coupées en dés
160 g	navets pelés coupés en dés
100 g	brocochou (chou-fleur vert) détaillé en bouquets
150 g	haricots mange-tout
¼ litre	huile végétale
1	œuf
3 c. à s.	huile
16	gousses d'ail
3 c. à s.	chapelure
35 g	beurre
4	morceaux de longe d'agneau, de 120 g chacun
¼ litre	vin blanc sec
1½ c. à s.	mélange de fines herbes fraîches (thym, sarriette, romarin, estragon, thym citron, ciboulette, menthe)
	sel et poivre

• Faire cuire tous les légumes croquants à l'eau bouillante salée ou à la vapeur. Après la cuisson, les refroidir dans un bain d'eau glacée. Égoutter et réserver.

• Faire chauffer l'huile végétale dans une casserole. Battre l'œuf avec 3 c. à s. d'huile. Tremper les gousses d'ail dans ce mélange, puis les enrober de chapelure. Faire frire dans l'huile chaude. Égoutter, réserver au chaud.

• Dans une poêle, faire fondre un peu de beurre. Y faire colorer et cuire à point les morceaux d'agneau. Assaisonner.

• Retirer la viande. Enlever l'excédent de graisse, déglacer au vin blanc, ajouter les légumes et les fines herbes. Assaisonner. Faire cuire 5 minutes. Au besoin, allonger la sauce avec un peu de bouillon de volaille. Parsemer de noisettes de beurre.

• Dresser les légumes dans des assiettes chauffées. Trancher finement les morceaux d'agneau, les déposer en rosace sur les légumes. Ajouter les croquettes d'ail. Garnir au choix.

ÉMINCÉ DE VEAU

●

4 PORTIONS

60 g	farine
600 g	escalopes de veau, coupées en fines lanières
90 g	beurre
50 g	oignon haché finement
70 g	champignons émincés
5 c. à s.	vin blanc sec *ou* vermouth blanc sec
1,25 dl	crème fraîche épaisse
¼ c. à c.	paprika
	poivre
	persil haché

• Dans un plat, mélanger la farine et le poivre. Fariner très légèrement les lanières de veau.

• Dans une poêle à revêtement antiadhésif, faire fondre 60 g de beurre. À feu moyen, y faire revenir la viande 7 à 10 minutes, en la retournant souvent.

• Retirer du feu, dresser la viande cuite dans un plat et réserver au chaud.

• Faire fondre le reste du beurre dans la poêle et y faire revenir l'oignon à feu moyen, en remuant souvent à l'aide d'une cuillère de bois. Ajouter les champignons, faire cuire à feu moyen 2 minutes, en remuant sans cesse. Mouiller avec le vin blanc et porter à ébullition.

• Baisser le feu et laisser mijoter environ 1 minute. Incorporer la crème, le paprika et la viande; faire cuire 4 à 5 minutes.

• Servir dans des assiettes chauffées et parsemer de persil. Accompagner de pâtes fraîches ou d'un légume, de votre choix.

●

BAVETTE MARINÉE
AU VIN ROUGE

●

4 PORTIONS

---

1 kg	bavette à bifteck
300 g	tomates en conserve, broyées
3 dl	bouillon de bœuf
1,75 dl	vin rouge sec
1	oignon, émincé
1	gousse d'ail, émincée finement
1 c. à s.	sauce Worcestershire
1 c. à c.	thym séché
1	feuille de laurier
2 c. à s.	beurre
1	sachet de préparation pour sauce aux poivres

● Dans un plat de verre, mélanger tous les ingrédients, sauf la bavette à bifteck. Y déposer la viande; bien l'enrober de marinade.

● Couvrir et laisser mariner au réfrigérateur 12 heures, en retournant la viande 1 ou 2 fois.

● Préchauffer le gril du four.

● Retirer la viande de la marinade. L'assécher à l'aide d'un papier absorbant, puis la mettre sur une tôle.

● Enfourner la viande et la faire griller quelques minutes, selon le degré de cuisson désiré.

● Verser la marinade dans une casserole et la faire réduire légèrement à feu moyen-vif pour obtenir une sauce.

● Pour servir, trancher finement la viande dans le sens contraire des fibres. Accompagner d'une julienne de carottes et de sauce.

●

RAGOÛT DE LAPIN

●

4 PORTIONS

—

1 c. à c.	sel
75 g	farine
1 kg	lapin, coupé en morceaux
3 c. à s.	beurre *ou* huile
1	tranche de lard fumé, coupée en fines lamelles (facultatif)
1	oignon, coupé en 4
1	branche de céleri, coupée grossièrement
2	carottes, pelées et coupées en rondelles
1,25 dl	marsala *ou* vin blanc sec
¼ litre	bouillon de volaille
1	feuille de laurier
3	brins d'origan *ou* de thym

—

• Saler et fariner les morceaux de lapin.

• Dans une casserole, faire chauffer le beurre. À feu vif, bien y faire colorer le lapin. Retirer la viande de la casserole et réserver.

• Baisser le feu sous la casserole et y faire revenir légèrement le lard fumé, l'oignon, le céleri et les carottes.

• Mouiller avec le marsala, puis avec le bouillon de volaille.

• Ajouter les morceaux de lapin, le laurier et l'origan, assaisonner, porter à ébullition et laisser mijoter à feu doux, à couvert, 1½ à 2 heures.

●

CONSEIL

Ajoutez, en garniture, du persil haché et des olives noires ou farcies émincées.

CÔTES DE PORC À L'ITALIENNE

●

4 PORTIONS

———

40 g	farine
½ c. à c.	origan séché
½ c. à c.	thym séché
4	côtes de porc maigre, d'épaisseur moyenne
1 c. à s.	huile végétale
3 c. à s.	beurre
1	sachet de préparation pour soupe aux légumes *ou* minestrone
½ litre	eau chaude
3 c. à s.	sbrinz *ou* parmesan râpé
	poivre

———

• Préchauffer le four à 180 °C.

• Dans un bol, bien mélanger la farine, le poivre et les fines herbes. Enrober chaque côte de porc de ce mélange.

• Dans un poêlon, faire chauffer l'huile et le beurre. À feu moyen, y faire cuire les côtes de porc 8 à 10 minutes, en les retournant à mi-cuisson. Disposer ensuite la viande dans un plat allant au four.

• Dans un bol, diluer la préparation pour soupe dans l'eau chaude; verser sur les côtes de porc. Parsemer de fromage, enfourner et faire cuire 20 à 30 minutes.

• Servir avec des nouilles, si désiré.

●

BAVETTE DE BŒUF
À L'ÉCHALOTE

•

4 PORTIONS

60 g	beurre
6	échalotes roses, émincées finement
½	branche de céleri, coupée finement
1	pincée de thym séché
1	pincée de laurier
3 c. à s.	persil haché
1	tomate, hachée
1 c. à c.	concentré de tomates
1½ c. à s.	poivre noir en grains écrasé
3 dl	vin rouge corsé
2 c. à s.	vinaigre de vin rouge
3 dl	bouillon de bœuf
500 g	bavette à bifteck
2 c. à s.	huile
2 c. à s.	beurre
	poivre fraîchement moulu

• Préchauffer le four à 220 °C.

• Dans une casserole, faire fondre 2 c. à s. de beurre. Y faire cuire 3 échalotes roses et le céleri jusqu'à ce qu'ils soient tendres.

• Ajouter les fines herbes, la tomate, le concentré de tomates, le poivre en grains et le vin. À feu moyen, faire réduire au tiers.

• Mouiller avec le vinaigre et le bouillon de bœuf; laisser réduire de moitié.

• Passer au tamis fin. Réserver au chaud.

• Poivrer la bavette.

• Dans une poêle allant au four, faire chauffer l'huile. Y faire dorer la bavette sur les deux faces. Enfourner et faire cuire selon le degré de cuisson désiré.

• Dans une petite casserole, faire chauffer 2 c. à s. de beurre. Y faire ramollir 3 échalotes roses. Incorporer à la sauce.

• Servir la bavette avec la sauce. Accompagner de légumes de votre choix.

•

BOULETTES DE BŒUF TANTE YVONNE

OK

4 PORTIONS

500 g	bifteck haché, maigre
30 g	chapelure assaisonnée d'un mélange de romarin, sauge, origan, marjolaine et thym
2 c. à s.	lait
2 c. à s.	parmesan râpé
1	gousse d'ail
1 c. à s.	huile végétale
3 c. à s.	beurre
1	sachet de préparation pour soupe à l'oignon
½ litre	eau chaude
	poivre

• Dans un bol, mélanger le bifteck haché, la chapelure, le lait, le parmesan, l'ail et le poivre. Façonner en une quinzaine de boulettes d'égale grosseur.

• Dans une poêle à revêtement antiadhésif, faire chauffer l'huile et le beurre. Bien y faire dorer les boulettes en les retournant souvent. Retirer du feu.

• Dans un bol, diluer la préparation pour soupe à l'oignon dans l'eau chaude. Verser ce mélange sur les boulettes. Poursuivre la cuisson à feu moyen, 20 minutes, en remuant de temps en temps.

• Servir avec un riz vapeur, si désiré.

SHABU-SHABU

4 PORTIONS

500 g	faux-filet, détaillé en très fines lamelles
2,5 litres	eau
250 g	nouilles transparentes à base de riz
2	morceaux de konbu (algue marine)
20	champignons, nettoyés et coupés en deux
4	feuilles de chou chinois, coupées en gros morceaux
4	carottes moyennes, coupées en rondelles très minces
40 g	échalotes nouvelles coupées en morceaux
35 g	daïkon nettoyé et râpé
350 g	tofu, égoutté et coupé en dés
250 g	pâtes au sarrasin (udon)

• Garder la viande au congélateur jusqu'au moment de la servir.

• Faire bouillir 1 litre d'eau et y faire cuire les nouilles environ 2 minutes; égoutter et réserver le bouillon. Couper les nouilles en morceaux de 10 cm de long.

• Nettoyer les algues avec un linge humide. Les mettre dans une casserole avec 1,5 litre d'eau et porter à ébullition. Dès que l'eau commence à bouillir, retirer les algues et verser l'eau de cuisson dans un caquelon à fondue.

• Préparer une ou plusieurs assiettes avec la viande, les légumes, les nouilles transparentes et le tofu.

• Faire cuire les pâtes au sarrasin dans le bouillon ayant servi à la cuisson des nouilles transparentes.

• Faire réchauffer le bouillon dans le caquelon à fondue, puis y faire cuire les légumes, la viande et le tofu et y faire réchauffer les nouilles transparentes.

• Accompagner les légumes de la sauce Ponzu et la viande de sauce aux graines de sésame.

SAUCE PONZU

1,25 dl	jus de citron
1,25 dl	sauce soja
2 c. à s.	sauce mirin
1	pincée de flocons de bonito séché (thon séché)

• Bien mélanger tous les ingrédients. Peut se conserver environ 2 jours au réfrigérateur, dans un contenant fermé hermétiquement.

SAUCE AUX GRAINES DE SÉSAME

110 g	graines de sésame
1 c. à s.	miso
1 c. à s.	sucre
2 c. à s.	sauce mirin
2 c. à s.	vinaigre de riz
6 c. à s.	sauce soja

• Faire griller les graines de sésame quelques minutes dans une poêle très chaude. Lorsqu'elles sont dorées, les retirer du feu, les laisser refroidir et les piler au mortier.

• Verser cette pâte dans un bol et mélanger avec le reste des ingrédients. Peut se conserver environ 2 jours au réfrigérateur, dans un contenant fermé hermétiquement.

BROCHETTES DE PORC
À LA MANDARIN

●

4 PORTIONS

---

300 g	longe de porc, coupée en lanières
2 c. à s.	graines de sésame

MARINADE

3 c. à s.	huile
½ c. à c.	ail haché
2 c. à s.	gingembre haché
4 c. à s.	coriandre ciselée
3 c. à s.	sauce Hoisin *ou* soja
3 c. à s.	miel
	quelques zestes d'orange en fine julienne
	poivre

• Dans un petit bol, mélanger tous les ingrédients de la marinade.

• Mettre la viande dans un bol, couvrir de marinade, réfrigérer 2 à 3 heures.

• Préchauffer le four ou le barbecue à 180 °C. Enfiler les brochettes en serpentins.

• Faire cuire environ 2 minutes de chaque côté, en badigeonnant de marinade pendant la cuisson. Assaisonner, parsemer de graines de sésame juste avant de les retirer du feu.

• Garnir des zestes d'orange récupérés de la marinade. Accompagner de riz blanc et de légumes de votre choix.

●

MIJOTÉ DE VEAU AUX POIVRONS

2 PORTIONS

½ dl	huile d'olive
½	oignon rouge, coupé en dés
I	gousse d'ail, hachée finement
2 c. à s.	farine
500 g	épaule de veau désossée, coupée en cubes
5 c. à s.	vin rouge sec
½ litre	fond brun de veau
200 g	tomates hachées
I c. à c.	thym séché
I	feuille de laurier
½	poivron vert, émincé
2 c. à s.	persil haché
	poivre

• Dans une casserole, à feu vif, faire chauffer 2 c. à s. d'huile. Y faire cuire l'oignon et l'ail 2 à 3 minutes. Réserver dans un bol.

• Fariner les cubes de veau. Faire chauffer le reste de l'huile dans la même casserole. Y faire dorer les cubes de veau. Réserver avec l'oignon et l'ail.

• Déglacer la casserole au vin et faire réduire de moitié.

• Remettre la viande et les légumes réservés dans la casserole, ajouter tous les autres ingrédients et faire mijoter 1 heure environ, ou jusqu'à ce que la viande se défasse à la fourchette.

• Servir chaud avec des pommes de terre rissolées, si désiré.

FONDUE À L'ORIENTALE

●

4 PORTIONS

500 g	faux-filet, viande de volaille *ou* chevaline, détaillé en très fines lamelles
250 g	champignons, coupés en lamelles
I	carotte, tranchée finement en biseau
100 g	bouquets de brocoli et / *ou* de chou-fleur
I	courgette, coupée en rondelles
1,25 dl	bouillon concentré pour fondue chinoise
I litre	eau

SAUCE PIQUANTE AU MIEL

3 c. à s.	miel
3,75 dl	ketchup
3 c. à s.	vinaigre blanc *ou* autre
I c. à s.	ciboulette *ou* échalote nouvelle hachée
I c. à s.	coriandre hachée finement (facultatif)
I c. à s.	persil haché finement
2	gousses d'ail, hachées finement
I	piment fort, haché finement
½ c. à c.	cari
	poivre

• Dans un petit bol, mélanger tous les ingrédients de la sauce.

• Rectifier l'assaisonnement, verser dans un pot, fermer hermétiquement et réserver au réfrigérateur jusqu'au moment de servir.

• Disposer la viande et les légumes dans un plat de présentation. Couvrir et réserver au frais.

• Verser le bouillon concentré pour fondue chinoise et l'eau dans un caquelon à fondue, et porter à ébullition.

• Déposer le plat de présentation sur la table et déguster la fondue avec la sauce piquante au miel ou avec d'autres sauces d'accompagnement de votre choix.

●

GRILLADE DE BŒUF MARINÉ

●

4 PORTIONS

———

1	tranche de romsteck de 500 g
2 c. à s.	huile de maïs
1 c. à s.	coriandre hachée
5 c. à s.	jus d'orange
1 c. à s.	jus de citron vert
2 c. à c.	vinaigre de cidre
1 c. à s.	bouillon de bœuf concentré, liquide
	quartiers d'orange, pelés à vif
	poivre

———

• Déposer la viande dans un plat peu profond.

• Dans un bol, mélanger l'huile, la coriandre, le poivre, les jus d'orange et de citron vert, le vinaigre et le bouillon de bœuf concentré. Verser sur la viande, couvrir et réfrigérer toute une nuit.

• Laisser reposer la viande à la température ambiante 45 minutes.

• Faire cuire au barbecue, 5 minutes de chaque côté; badigeonner de marinade pendant la cuisson. Garnir de quartiers d'orange et servir avec un légume vert de votre choix.

●

MÉDAILLONS DE VEAU AU GENIÈVRE

●

2 PORTIONS

---

500 g	filet de veau détaillé en médaillons de 2,5 cm d'épaisseur
1 c. à c.	beurre
2 c. à c.	huile de maïs
3 c. à s.	gin (facultatif)
1,75 dl	bouillon de volaille
6	baies de genièvre
2 c. à s.	crème fraîche épaisse
	poivre fraîchement moulu
	persil haché

• Aplatir légèrement la viande avec le plat d'une batte à côtelette.

• Dans une poêle à revêtement antiadhésif, faire chauffer le beurre et l'huile. À feu moyen-vif, faire cuire la viande 5 minutes de chaque côté ; réserver.

• Déglacer la poêle au gin. Ajouter le bouillon de volaille, le persil et le genièvre. À feu moyen, laisser réduire quelques minutes, puis incorporer la crème ; poivrer.

• Napper le fond des assiettes de sauce, puis y déposer la viande. Servir avec des légumes de votre choix.

●

PORC SURPRISE EN CROÛTE

●

2 PORTIONS

———

2 c. à s.	beurre
50 g	oignon haché finement
150 g	champignons hachés
½ dl	vin blanc sec
½ dl	crème fleurette
70 g	rillettes de porc *ou* de volaille

1	filet de porc d'environ 150 g
1	pincée de muscade
1	rectangle de pâte feuilletée d'environ 20 cm sur 13 cm
100 g	épinards blanchis
1	jaune d'œuf
2 c. à s.	lait
	poivre

———

(Suite à la page suivante)

• Dans une poêle, faire chauffer 1 c. à s. de beurre. À feu moyen, y faire revenir l'oignon et les champignons, 5 minutes.

• Ajouter le vin blanc, faire cuire doucement jusqu'à l'évaporation complète du liquide. Incorporer la crème et faire cuire jusqu'à l'obtention d'un mélange épais. Réserver et laisser refroidir.

• Ajouter les rillettes au mélange. Bien remuer.

• Assaisonner le filet de porc de poivre et de muscade. À feu moyen-vif, faire dorer la viande dans la poêle, sur toutes ses faces.

• Préchauffer le four à 200 °C.

• Étaler la pâte feuilletée sur une table de travail. Au centre, répartir les épinards et le mélange aux champignons. Déposer le filet de porc sur la garniture.

• Refermer le feuilleté et sceller avec le jaune d'œuf mélangé au lait, puis badigeonner la surface avec ce mélange.

• Déposer le feuilleté sur une tôle, enfourner et faire cuire 15 à 20 minutes.

• Juste avant de servir, trancher, dresser dans une assiette et accompagner d'un légume vert et d'une sauce de votre choix.

PIÈCE DE VIANDE EN CROÛTE

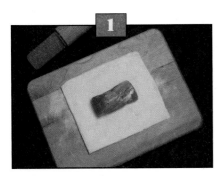

Abaisser la pâte feuilletée en un rectangle, laissant au moins 8 cm de chaque côté du filet. Déposer la garniture et le filet sur la pâte.

Badigeonner le bord de la pâte avec le mélange au jaune d'œuf pour bien sceller.

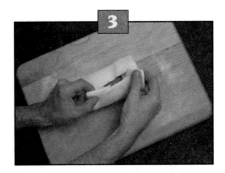

Rabattre la pâte sur elle-même aux extrémités, puis sur les côtés.

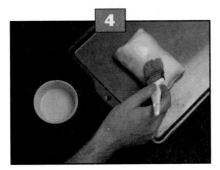

Déposer la pâte sur une tôle et badigeonner le dessus du mélange de jaune d'œuf.

LES
Poissons
ET LES FRUITS DE MER

POISSON À L'ORIENTALE

•

6 PORTIONS

1 kg	**turbot** *ou* **autre poisson à chair blanche, détaillé en tranches épaisses**
	huile de maïs

MARINADE

3 c. à s.	**vermouth blanc sec**
2 c. à s.	**sauce soja légère** *ou* **tamari**
2 c. à s.	**eau**
1 c. à s.	**gingembre râpé**

SAUCE

135 g	**yaourt nature**
5	**gouttes de tabasco**
5	**petits cornichons sucrés, hachés**

La sauce soja et la sauce tamari sont riches en sodium : 1 c. à s. de sauce soja contient ½ c. à c. de sel.

• Dans un bol, mélanger tous les ingrédients de la marinade. Disposer le poisson dans un plat et l'arroser de marinade. Couvrir d'une feuille de papier d'aluminium et réfrigérer au moins 2 heures, en retournant le poisson à deux reprises.

• Préchauffer le four à 160 °C ou la grille du barbecue. Huiler une lèchefrite ou la grille du barbecue.

• Faire cuire le poisson au four, environ 4 minutes de chaque côté, ou au barbecue, jusqu'à ce que la chair soit bien opaque.

• Bien mélanger les ingrédients de la sauce et servir avec le poisson.

PÉTONCLES EN ROBE DE LARD FUMÉ

●

4 PORTIONS

32	gros pétoncles
16	fines tranches de lard fumé
1	filet d'huile
1	noix de beurre
1	grosse échalote rose, hachée finement
6	endives, émincées
½ litre	crème fraîche épaisse
	jus de 2 citrons
	sel et poivre

• Enrouler chaque pétoncle d'une demi-tranche de lard fumé.

• Dans une poêle, faire chauffer l'huile et le beurre. À feu vif, y faire sauter rapidement quelques pétoncles à la fois, 2 à 3 minutes. Retirer les pétoncles et réserver au chaud.

• Dans la même poêle, faire revenir l'échalote et les endives. Ajouter le jus de citron et laisser réduire un peu.

• Incorporer la crème, laisser réduire de nouveau. Saler et poivrer.

• Garnir de sauce le fond des assiettes; y disposer les pétoncles en couronne et servir.

●

CREVETTES au GINGEMBRE

●

2 PORTIONS

10	crevettes crues de grosseur moyenne, décortiquées (sauf le bout des queues) et déveinées
3 c. à s.	huile de maïs
3 c. à s.	jus de citron
½	oignon, haché grossièrement
2	gousses d'ail, coupées finement
1 c. à c.	gingembre pelé
½	piment vert fort, haché *ou* ½ c. à c. de piment séché en flocons
1 c. à c.	concentré de tomates
	poivre

• Enfiler les crevettes sur des brochettes de bois préalablement trempées dans de l'eau.

• Au robot ménager, mélanger 2 c. à s. d'huile et le reste des ingrédients.

• Étaler la préparation sur les crevettes, couvrir et laisser mariner au réfrigérateur pendant au moins 1 heure.

• Faire cuire au barbecue, environ 3 minutes. Retourner une fois pendant la cuisson et badigeonner avec le reste de l'huile.

• Servir avec du riz, garnir de quartiers de citron et de brins de menthe.

●

CONSEIL

Pour relever le poisson, déglacez la poêle avec quelques gouttes de vermouth blanc sec avant d'ajouter le bouillon de volaille.

FILETS DE SOLE AUX CÂPRES ET AU CITRON

4 PORTIONS

3 c. à s.	farine
4	filets de sole, d'environ 120 g chacun
1 c. à s.	huile d'arachide
1 c. à s.	beurre
1,25 dl	bouillon de volaille
1	citron pelé à vif, tranché finement
2 c. à s.	câpres égouttées
	poivre

• Fariner les filets de sole.

• Dans une poêle à revêtement antiadhésif, faire chauffer l'huile et le beurre et y faire cuire les filets de sole, à feu vif, 3 à 4 minutes de chaque côté.

• Disposer les filets de sole sur un plat de présentation et garder au chaud.

• Dans la même poêle, verser le bouillon de volaille. Porter à ébullition et ajouter les tranches de citron et les câpres. Poivrer, verser sur les filets de sole et servir immédiatement.

Le poisson, une excellente source de protéines, est riche en minéraux tels que le phosphore, le fer et le zinc.

FILETS DE SOLE FARCIS

•

4 PORTIONS

———

675 g	filets de sole
1,25 dl	vin blanc sec
2 c. à c.	jus de citron

FARCE

250 g	saumon *ou* aiglefin, sans arêtes
2	blanc d'œufs
½ dl	crème fraîche épaisse
50 g	chapelure
1 c. à c.	persil *ou* aneth haché finement
	poivre

(*Suite à la page suivante*)

SAUCE

1,25 dl	vin blanc sec
275 g	courgettes râpées
50 g	beurre
40 g	farine
½ litre	lait
2 c. à c.	estragon séché

• Essuyer les filets de sole, puis les découper en rectangles égaux. Réserver les restes.

• Au robot ménager, réduire en purée les restes de sole, le saumon et les blancs d'œufs. Ajouter graduellement la crème, puis la chapelure et le persil. Poivrer, bien mélanger et réfrigérer quelques minutes.

• Préchauffer le four à 180 °C.

• Étaler la farce sur les filets de sole, les replier pour former une enveloppe et disposer dans un plat beurré allant au four. Mouiller avec 1,25 dl de vin blanc et arroser de jus de citron. Couvrir d'une feuille de papier d'aluminium, enfourner et faire cuire 20 minutes.

• Dans une casserole, mélanger 1,25 dl de vin blanc et les courgettes. Laisser mijoter à feu moyen, à découvert, jusqu'à l'évaporation presque complète du liquide.

• Dans une autre casserole, faire fondre le beurre et y incorporer la farine. Ajouter le lait graduellement, amener à ébullition en remuant constamment et poursuivre la cuisson 3 minutes ou jusqu'à l'obtention d'une sauce épaisse.

• Filtrer 4 c. à s. du jus de cuisson des filets de sole et l'ajouter à la sauce. Incorporer l'estragon et le mélange aux courgettes. Dresser les filets de sole dans un plat de présentation, napper de sauce et servir.

1

Découper les filets de sole en rectangles égaux.

2

Au robot ménager, préparer la farce; réfrigérer.

3

Étaler la farce sur les filets de sole, replier pour former une enveloppe et mouiller avec le vin et le jus de citron.

4

Préparer la sauce.

SAUMON à la VAPEUR, SAUCE aux HARICOTS NOIRS

2 PORTIONS

30 g	haricots noirs
2 c. à s.	huile végétale
1 c. à c.	ail émincé
½ c. à c.	sel
½ c. à c.	sucre
2 c. à s.	sauce aux huîtres
1 c. à s.	sauce soja foncée
1	filet de saumon d'environ 450 g, avec la peau
	échalotes nouvelles, hachées finement

Le poisson est cuit à point lorsqu'un cure-dents s'enfonce facilement dans la chair.

• Dans un bol, bien écraser les haricots noirs.

• Dans une poêle, faire chauffer l'huile. À feu doux, y faire revenir l'ail et les haricots, 2 minutes.

• Verser dans un bol, y ajouter le sel, le sucre, la sauce aux huîtres et la sauce soja; mélanger.

• Rincer le poisson, l'essuyer avec du papier absorbant et le déposer côté chair dans un plat allant au four.

• Étaler uniformément la sauce sur la peau du poisson. Faire cuire à la vapeur, à feu vif, environ 10 minutes, ou au bain-marie dans un four préchauffé à 200 °C.

• Garnir d'échalotes nouvelles et servir aussitôt.

DAURADE À LA NIÇOISE

●

4 PORTIONS

___

3 c. à s.	huile de maïs
3 c. à s.	jus de citron
2	gousses d'ail, hachées finement
1 kg	daurade, vidée et écaillée
6	brins de thym

___

• Dans un bol, mélanger l'huile, le jus de citron et l'ail.

• Entailler à quelques reprises la chair de la daurade, sur les deux faces.

• Badigeonner la daurade du mélange à l'huile.

• Placer les brins de thym à l'intérieur de la daurade.

• Faire cuire au barbecue, à feu vif, 15 minutes de chaque côté environ.

●

La fraîcheur d'un poisson entier est caractérisée par une peau à la pigmentation vive et brillante et qui adhère à la chair. Le ventre ne doit être ni gonflé ni terne; le poisson ne doit pas dégager d'odeur forte et la chair doit être ferme et élastique.

FILETS DE SOLE À LA BIÈRE

●

4 PORTIONS

1 c. à s.	beurre
1	oignon, haché
4	filets de sole de 100 g chacun
¼ litre	bière
1	jaune d'œuf, battu
	poivre

• Dans une poêle, faire fondre le beurre et, à feu doux, y faire dorer l'oignon 2 minutes, en remuant. Verser dans un plat allant au four.

• Déposer les filets de sole sur l'oignon. Arroser de bière et laisser mariner 30 minutes.

• Préchauffer le four à 180 °C.

• Enfourner les filets de sole et les faire cuire 10 minutes. Les sortir du four, les égoutter et les réserver au chaud. Récupérer le jus de cuisson.

• Dans la poêle, à feu vif, faire réduire le jus de cuisson de moitié. Retirer du feu.

• Incorporer le jaune d'œuf au jus de cuisson et faire chauffer sans faire bouillir. Poivrer les filets de sole et les napper de sauce juste avant de servir.

●

(Étapes à la page suivante)

SAUCE BÉCHAMEL

1,75 DL

1 c. à s.	**beurre**
1 c. à s.	**farine**
¼ **litre**	**lait chaud**
¼ **c. à c.**	**sel**
1 c. à c.	**persil haché**

• Dans une petite casserole, faire chauffer le beurre à feu doux. Y ajouter la farine; remuer.

• Verser la moitié du lait dans la casserole et mélanger en fouettant. Porter à ébullition, sans cesser de fouetter.

• Incorporer le reste du lait graduellement, sans cesser de fouetter, pour éviter la formation de grumeaux.

• Saler et laisser mijoter 2 minutes, à feu très doux.

• S'il y a formation de grumeaux, filtrer la sauce avant de la servir (même une sauce lisse sera affinée par cette opération). Incorporer le persil.

Préparée avec de l'huile de carthame, cette recette contiendra 2 fois moins de gras et 8 fois moins de cholestérol. En utilisant du lait écrémé, la sauce sera encore moins riche en gras et en cholestérol, tout en ayant le même contenu en calcium.

1

Faire fondre le beurre et y faire dorer l'oignon en remuant.

2

Déposer les filets de sole sur l'oignon. Arroser de bière et laisser mariner.

3

Lorsque les filets de sole sont cuits, récupérer le jus de cuisson et le faire réduire à feu vif.

4

Incorporer le jaune d'œuf à la sauce et poivrer.

ESCALOPES DE SAUMON AUX POIREAUX ET À LA CORIANDRE

●

2 PORTIONS

2	escalopes de saumon, d'environ 150 g chacune
	brins d'aneth *ou* d'estragon et de persil
	jus de ½ citron

SAUCE

1 c. à s.	beurre
2	échalotes roses moyennes *ou* échalotes nouvelles, tranchées
5 c. à s.	vermouth blanc sec *ou* vin blanc sec
1,25 dl	bouillon de bœuf *ou* de volaille
1,25 dl	crème fraîche épaisse
1	blanc de poireau, coupé en julienne
2 c. à s.	coriandre hachée
1	pincée de poivre de Cayenne

• Préchauffer le four à 180 °C. Beurrer 2 plats allant au four. Réserver.

• Couper chaque escalope de saumon en deux dans le sens de l'épaisseur, en prenant soin de ne pas perforer la chair. Ouvrir à plat, mettre entre deux feuilles de pellicule plastique et aplatir délicatement avec le plat d'une batte à côtelette.

• Disposer ensuite les escalopes de saumon dans les plats beurrés réservés et les arroser de jus de citron.

• Dans une poêle, faire fondre le beurre. À feu moyen-vif, y faire cuire les échalotes quelques minutes. Parfumer de vermouth et laisser réduire jusqu'à ce qu'il reste 1 c. à s. de liquide.

• Incorporer le bouillon de bœuf; faire réduire du tiers. Ajouter la crème et faire réduire de nouveau. Ajouter le blanc de poireau et la coriandre, puis assaisonner de poivre de Cayenne. Laisser mijoter à feu doux, 3 à 4 minutes.

• Enfourner le saumon; faire cuire 8 à 10 minutes. Napper de sauce le fond de deux assiettes. Y déposer le saumon. Garnir de brins d'aneth et de persil. Servir immédiatement.

●

FILETS DE POISSON À LA TOMATE

●

4 PORTIONS

500 g	**filets de poisson (sole, truite, *ou* morue)**
2 c. à s.	**jus de citron**
1	**oignon, coupé en rondelles**
1,25 dl	**bouillon de légumes**
1	**pincée d'estragon séché**
250 g	**tomates en conserve hachées**
30 g	**emmental râpé**
	poivre

• Préchauffer le four à 200 °C.

• Arroser les filets de poisson du jus de citron. Réserver.

• Couvrir des rondelles d'oignon le fond d'un plat allant au four ; y déposer les filets de poisson. Réserver.

• Dans un bol, mélanger tous les autres ingrédients, sauf le fromage.

• Verser sur les filets de poisson. Couvrir d'une feuille de papier d'aluminium, enfourner et faire cuire 15 à 20 minutes. Quelques minutes avant la fin de la cuisson, découvrir, parsemer de fromage et faire gratiner.

●

CONSEIL

Couvrez les rondelles d'oignon d'une couche de pommes de terre tranchées finement.

MIJOTÉ DE CREVETTES ET DE CRABE À LA CAJUN

4 PORTIONS

5 c. à s.	huile de maïs
40 g	farine
1	oignon, haché finement
1 *ou* 2	gousses d'ail, hachées
1	branche de céleri
½	poivron vert, coupé en dés
½	poivron rouge, coupé en dés
200 g	tomates hachées finement
¼ litre	purée de tomates
¼ litre	vin blanc sec
¼ litre	fumet de poisson *ou* bouillon de volaille
3 c. à s.	persil haché
2	feuilles de laurier
½ c. à c.	basilic séché
½ c. à c.	thym séché
¼ c. à c.	muscade râpée *ou* en poudre
½ c. à c.	épices mélangées
2 c. à c.	cassonade brune
2 c. à s.	zeste de citron
1 c. à c.	poivre de Cayenne
500 g	crevettes rouges crues, décortiquées (sauf le bout des queues) et déveinées
500 g	chair de crabe
	sel et poivre

• Dans une poêle à fond épais, faire chauffer l'huile à feu moyen-vif et y ajouter la farine. Bien remuer et faire cuire jusqu'à ce que la farine brunisse.

• Incorporer l'oignon, l'ail, le céleri et les poivrons; faire cuire. Ajouter tous les autres ingrédients, sauf les crevettes et la chair de crabe.

• Porter à ébullition, bien remuer et laisser mijoter à feu doux, 45 à 50 minutes ou jusqu'à l'obtention d'une sauce épaisse.

• Ajouter les crevettes et la chair de crabe, couvrir et poursuivre la cuisson 8 à 10 minutes. Remuer très légèrement afin d'éviter que la chair de crabe ne se défasse.

• Dresser dans un plat de présentation et servir.

BROCHETTES DE RASCASSE À LA MOUTARDE

•

4 PORTIONS

---

4 ou 5	filets de rascasse
2 c. à s.	moutarde forte
1 c. à s.	estragon *ou* aneth haché finement
2 c. à s.	graines de sésame
3 c. à s.	huile d'olive
	quartiers de citron

• Préchauffer le four à 190 °C.

• Bien rincer, puis essuyer les filets de rascasse. Les badigeonner de moutarde et les détailler en morceaux.

• Enfiler les morceaux de poisson sur des brochettes de bois préalablement trempées dans de l'eau.

• Dans une assiette, mélanger l'estragon et les graines de sésame. Badigeonner d'huile les brochettes de poisson et les passer dans le mélange à l'estragon.

• Disposer les brochettes sur une plaque allant au four, à environ 10 cm de l'élément supérieur. Faire cuire 3 à 4 minutes de chaque côté; retourner une seule fois pendant la cuisson.

• Servir avec des quartiers de citron et un légume de votre choix.

•

CONSEIL

Préparez des brochettes de légumes — oignons rouges, poivrons, courgettes, etc. — pour accompagner le poisson.

PAELLA À LA MODE
DE LA NOUVELLE-ÉCOSSE

●

4 À 6 PORTIONS

8	moules, brossées
8	coquilles Saint-Jacques, brossées
1	poulet de 1 kg, détaillé en morceaux et dégraissé
½ dl	huile de maïs
2	gousses d'ail, hachées grossièrement
1	oignon, coupé en morceaux
1	poivron rouge, évidé, épépiné et coupé en lamelles
2	calmars, vidés, lavés et coupés en morceaux (facultatif)
2 c. à c.	paprika
150 g	petits pois écossés *ou* surgelés
400 g	riz à grains longs
1 litre	bouillon de volaille
¼ c. à c.	safran en filaments, infusé dans un peu d'eau
100 g	grosses crevettes cuites
	chair de 1 homard, cuite et coupée en morceaux
	poivre noir

• Dans un peu d'eau bouillante, faire cuire les moules et les coquilles Saint-Jacques 5 minutes ou jusqu'à ce que les coquilles s'ouvrent. Égoutter et jeter les coquilles qui sont restées fermées. Réserver.

• Poivrer les morceaux de poulet.

• Dans une cocotte, faire chauffer l'huile et y faire dorer les morceaux de poulet. Ajouter l'ail, l'oignon, le poivron rouge et les calmars. Bien mélanger et faire sauter jusqu'à ce que l'oignon soit tendre.

• Saupoudrer de paprika. Ajouter les petits pois, verser le riz en pluie et faire cuire, en remuant constamment, jusqu'à ce que le riz soit légèrement doré.

(Suite à la page suivante)

• Dans une casserole, porter le bouillon de volaille à ébullition. Verser sur le mélange au riz. Ajouter le safran, bien mélanger et faire cuire à feu très vif, environ 5 minutes.

• Ajouter les moules, les noix de coquilles Saint-Jacques, les crevettes et les morceaux de homard. Baisser le feu, couvrir et faire cuire encore 10 minutes, sans remuer. Le riz doit être cuit et doit avoir complètement absorbé le jus de cuisson.

• Laisser reposer 5 minutes, dresser dans un plat de présentation et servir.

●

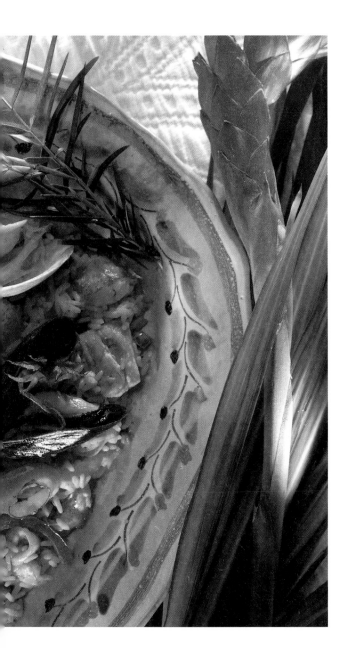

1

Faire cuire les moules et les coquilles Saint-Jacques dans un peu d'eau bouillante jusqu'à ce que les coquilles s'ouvrent.

2

Ajouter l'ail, l'oignon, le poivron et les calmars aux morceaux de poulet.

3

Mouiller avec le bouillon de volaille, ajouter le safran et faire cuire.

4

Ajouter les fruits de mer, couvrir et faire cuire 10 minutes.

1 c. à s.   **aneth haché**
1 c. à s.   **jus de citron**
                   poivre

PLIE HABILLÉE D'AMANDES, SAUCE AUX CREVETTES

4 PORTIONS

4	**filets de plie**
2	**œufs**
1 c. à c.	**eau**
75 g	**farine**
10	**biscottes réduites en chapelure**
100 g	**amandes effilées hachées**
½ c. à c.	**sel**
1	**pincée de poivre blanc**
2 c. à s.	**huile de colza**
2 c. à s.	**beurre**

SAUCE

2 c. à s.	**beurre ramolli**
1	**petite gousse d'ail, coupée en 3**
150 g	**crevettes**
1,75 dl	**eau**
½ dl	**vin blanc sec**
2 c. à s.	**farine**

• *Pour préparer la sauce aux crevettes*, dans une casserole, faire chauffer 1 c. à s. de beurre. À feu vif, y faire sauter l'ail 1 minute. À feu moyen-vif, faire revenir les crevettes jusqu'à ce qu'elles aient une teinte rosée. Mouiller avec l'eau et le vin blanc.

• Dans un petit bol, mélanger le reste du beurre et la farine, puis les incorporer au mélange aux crevettes. Porter à ébullition pour faire épaissir la sauce. Ajouter l'aneth et le jus de citron. Poivrer. Réserver au chaud.

• Essuyer les filets de plie; réserver.

• Dans un plat peu profond, battre les œufs et l'eau. Dans une assiette, verser la farine. Dans un bol, mélanger la chapelure et les amandes; assaisonner.

• Passer les filets de plie un à un dans chacune des préparations, en commençant par la farine, puis les œufs et enfin la chapelure aux amandes.

• Dans une poêle, faire chauffer l'huile et 2 c. à s. de beurre à feu moyen-vif. Y faire dorer les filets de plie 3 ou 4 minutes de chaque côté. Disposer dans les assiettes, napper de sauce et servir.

TRUITES À L'OSEILLE ET AU HACHIS DE CHAMPIGNONS

●

4 PORTIONS

1 c. à s.	beurre
1	échalote rose, hachée finement
400 g	champignons hachés
10	feuilles d'oseille, blanchies, équeutées et hachées
1,25 dl	vin rouge sec
75 g	chou vert *ou* oignons émincé
4	truites de grosseur moyenne prêtes à être farcies
¼ litre	fumet de poisson *ou* bouillon de volaille
¼ litre	sauce béchamel chaude (facultatif) (voir p. 273)
	poivre

- Préchauffer le four à 190 °C.

- Dans une casserole, faire fondre le beurre. À feu doux, y faire suer l'échalote. Ajouter les champignons et l'oseille. Mouiller avec le vin rouge.

- Faire cuire à feu moyen, jusqu'à l'évaporation du liquide. Poivrer, bien mélanger et laisser refroidir.

- Garnir de chou le fond d'un plat allant au four. Poivrer les truites et les farcir des légumes cuits. Disposer sur le chou.

- Verser le fumet de poisson dans le plat. Couvrir d'une feuille de papier sulfurisé.

- Enfourner et faire cuire environ 15 minutes.

- Garnir chaque assiette de chou braisé. Y déposer une truite, napper de sauce béchamel et servir immédiatement.

●

CONSEIL

Remplacez le turbot par n'importe quel poisson à chair blanche, détaillé en tranches d'environ 1 cm d'épaisseur.

BÂTONNETS DE POISSON AU SÉSAME

●

4 PORTIONS

50 g	chapelure
30 g	graines de sésame
25 g	parmesan râpé
1 c. à s.	paprika
500 g	turbot, coupé en bâtonnets
1	œuf battu
1 c. à s.	huile de maïs
	sel et poivre

• Préchauffer le four à 180 °C.

• Dans une assiette, mélanger la chapelure, les graines de sésame, le parmesan, le paprika, le sel et le poivre.

• Passer les morceaux de poisson dans l'œuf battu, puis dans le mélange à la chapelure.

• Disposer les morceaux de poisson sur une tôle huilée, enfourner et faire cuire 5 minutes.

• Retourner les morceaux de poisson. Poursuivre la cuisson 5 minutes. Sortir du four et servir.

●

PÉTONCLES DE POPEYE

4 PORTIONS

350 g	pétoncles, coupés en deux
¼ litre	lait
4 c. à c.	beurre
1	gousse d'ail, hachée finement
1	échalote nouvelle, hachée
4 c. à c.	farine
¼ c. à c.	sel
1	pincée de poivre
1 c. à c.	jus de citron
300 g	épinards bien lavés et essorés
1 c. à s.	huile de maïs
1 c. à c.	zeste de citron râpé
	échalotes nouvelles, hachées (garniture)

• Dans un bol, couvrir les pétoncles de lait. Réfrigérer pendant 8 heures. Égoutter et réserver le lait.

• Dans une casserole, faire fondre le beurre. À feu doux, y faire cuire l'ail et l'échalote nouvelle, 4 minutes.

• Ajouter la farine, le sel et le poivre. Laisser mijoter 2 minutes. Mouiller avec le lait réservé et mélanger. Faire cuire jusqu'à l'obtention d'une sauce épaisse. Ajouter le jus de citron et mélanger. Réserver.

• Faire cuire les épinards à la vapeur, 5 minutes. Réserver.

• Dans une poêle, faire chauffer l'huile et y faire frire rapidement les pétoncles.

• Disposer les épinards dans un plat de présentation. Garnir de pétoncles, napper de sauce, parsemer de zeste de citron et d'échalotes nouvelles hachées. Servir aussitôt.

Les pétoncles sont une excellente source de calcium, de fer et de potassium. Frais, ils doivent avoir une chair blanche et ferme, et être sans odeur. Quelques minutes de cuisson suffisent, sinon leur chair durcit et s'assèche, perdant ainsi de sa saveur.

CONSEIL

Faites cuire le saumon à la vapeur jusqu'à ce que la chair se défasse facilement à la fourchette.

ESCALOPES DE SAUMON AUX ÉPINARDS

●

2 PORTIONS

―――――

1 c. à s.	beurre
4	escalopes de saumon de 60 g chacune
300 g	épinards bien lavés et essorés
1 c. à s.	échalote rose hachée
2 c. à s.	cidre *ou* vermouth blanc sec
1 c. à s.	vinaigre aromatisé aux fruits
3 c. à s.	fromage frais crémeux
2	quartiers de citron
	poivre

―――――

• Dans une poêle à revêtement antiadhésif, faire chauffer le beurre et y faire cuire les escalopes de saumon sur les deux faces; réserver au chaud.

• Faire cuire les épinards à la vapeur. Bien les égoutter et les hacher. Poivrer et réserver.

• Dans la poêle, faire chauffer rapidement l'échalote, le cidre et le vinaigre aromatisé.

• En fouettant, incorporer le fromage progressivement, jusqu'à l'obtention d'une sauce épaisse.

• Faire chauffer les assiettes. Garnir chacune d'elles d'épinards, couvrir d'une escalope de saumon, napper de sauce et servir avec des quartiers de citron.

●

FILETS DE POISSON À L'ORANGE

●

4 PORTIONS

---

500 g	filets de poisson (rascasse, sole *ou* aiglefin)
1 c. à c.	zeste d'orange en fine julienne
1,25 dl	jus d'orange non sucré
1 c. à s.	oignon émincé
½	gousse d'ail, hachée
1 c. à s.	sauce soja légère
1 c. à c.	racine de gingembre râpée
1 c. à c.	fécule de maïs
	persil haché

- Disposer les filets de poisson dans une poêle à revêtement antiadhésif.

- Dans un bol, mélanger le zeste et le jus d'orange, l'oignon, l'ail, la sauce soja, le gingembre et le persil. Verser sur le poisson.

- Porter à ébullition, baisser le feu et laisser mijoter, à demi-couvert, 4 à 5 minutes ou jusqu'à ce que la chair du poisson se détache facilement avec une fourchette.

- À l'aide d'une écumoire, retirer le poisson avec précaution et le déposer dans un plat de présentation. Réserver au chaud.

- Délayer la fécule de maïs dans 1 c. à s. d'eau et verser ce mélange dans la poêle. Faire chauffer légèrement jusqu'à l'obtention d'une sauce épaisse.

- Napper les assiettes de sauce, y déposer les filets de poisson, garnir de zeste d'orange et servir.

●

BROCHETTES DE POISSON DU CATHAY

4 PORTIONS

500 g	filets de rascasse, de morue *ou* de turbot
1	citron vert
1,25 dl	vin blanc sec
1 c. à c.	gingembre râpé
2	gousses d'ail, hachées
½ c. à c.	piment fort en flocons
2 c. à s.	cassonade tassée
1 c. à s.	sauce soja légère
1 c. à c.	fécule de maïs

• Découper le poisson en longues lanières de 1 cm d'épaisseur. Râper le zeste du citron vert, puis en exprimer 3 c. à s. de jus.

• Dans un plat creux, mélanger le vin, le zeste et le jus de citron vert, le gingembre, l'ail et le piment fort. Enrober les lanières de poisson de ce mélange. Laisser mariner 30 minutes à la température ambiante, ou 8 heures au réfrigérateur, dans un contenant fermé. Retourner le poisson de temps en temps.

• Préchauffer le four à 180 °C.

• Égoutter le poisson et réserver la marinade.

• Enfiler les lanières de poisson sur des brochettes de bois préalablement trempées dans de l'eau et disposer sur une lèchefrite légèrement graissée. Enfourner et faire griller à 8 ou 10 cm de l'élément supérieur, environ 7 à 8 minutes ou jusqu'à ce que la chair du poisson soit opaque.

• Dans une casserole, mélanger la marinade, la cassonade, la sauce soja et la fécule de maïs. En remuant sans cesse, faire cuire à feu moyen, jusqu'à ébullition. Baisser le feu à doux et poursuivre la cuisson jusqu'à l'obtention d'une sauce épaisse. Servir avec les brochettes de poisson.

SAUMON ENTIER, SAUCE AU CITRON VERT

●

6 PORTIONS

1	saumon de 1,5 kg
3 c. à s.	bouillon de volaille concentré, liquide

FARCE

1	oignon, coupé en dés
75 g	pain détaillé en cubes
125 g	céleri coupé en dés
40 g	raisins secs
1 c. à s.	ciboulette hachée
2 c. à s.	feuilles de céleri hachées
½ dl	lait
	zeste de 1 citron vert, râpé

SAUCE

½ dl	mayonnaise
2 c. à s.	farine
¼ litre	lait
1 c. à s.	jus de citron vert
1 c. à s.	zeste de citron vert râpé
1 c. à s.	ciboulette hachée
¼ c. à c.	poivre blanc
1 c. à s.	bouillon de légumes concentré

• Rincer le saumon à l'eau froide, l'assécher et réserver.

• Dans un bol, bien mélanger tous les ingrédients de la farce.

• Farcir le saumon de ce mélange.

• Disposer le saumon sur une feuille de papier d'aluminium, le badigeonner de bouillon de volaille concentré et refermer le papier d'aluminium en papillote.

• Faire cuire le saumon au barbecue, environ 20 minutes; retourner pendant la cuisson.

• Pour préparer la sauce, dans une casserole, mélanger la mayonnaise et la farine. Y ajouter le lait en remuant et faire cuire jusqu'à l'obtention d'une sauce épaisse.

• Bien incorporer lentement tous les autres ingrédients. Napper de sauce un plat de présentation, y dresser le saumon et servir.

●

CREVETTES au LAIT de COCO

●

4 PORTIONS

24 à 32	crevettes de grosseur moyenne (6 à 8 par personne)
2 c. à s.	huile végétale
1	oignon, coupé en dés
1	poivron vert, coupé en dés
4	gousses d'ail, émincées
2	tomates, coupées en dés
2 c. à s.	huile de noisette
2 dl	lait de coco
	poivre noir et poivre blanc fraîchement moulus
	feuilles de coriandre
	persil
	sel

• Parer les crevettes et retirer les têtes.

• Dans un poêlon, faire chauffer l'huile végétale. À feu moyen, y faire cuire l'oignon, le poivron, l'ail et les tomates.

• Ajouter l'huile de noisette, les crevettes et le lait de coco; laisser mijoter jusqu'à ce que les crevettes prennent une teinte rosée.

• À la fin de la cuisson, ajouter les poivres noir et blanc, la coriandre, le persil et le sel.

• Servir avec du riz.

●

MIJOTÉ DE POISSON ET DE TOMATES

●

2 PORTIONS

───

2 c. à c.	huile d'olive *ou* végétale
I	oignon *ou* blanc de poireau, haché
I c. à c.	ail haché
I	branche de céleri, émincée
¼ c. à c.	graines de fenouil *ou* I c. à s. de feuilles de fenouil hachées
I	pincée de piment fort en flocons
400 g	tomates en conserve, hachées (le jus réservé)
½ dl	vin blanc sec *ou* bouillon de volaille
350 g	filets de poisson (sole, morue, etc.)
15 g	persil *ou* coriandre haché
I c. à s.	parmesan râpé
	poivre

───

CONSEIL

Faites gratiner ce plat ou encore servez-le sur un lit de couscous, de riz ou de pâtes.

• Dans une poêle à revêtement antiadhésif, faire chauffer l'huile à feu moyen. Y faire revenir l'oignon et l'ail 5 minutes environ ou jusqu'à ce qu'ils soient tendres.

• Ajouter le céleri, le fenouil, le piment fort, les tomates et le vin blanc; porter à ébullition.

• Baisser le feu et laisser mijoter 5 minutes. Ajouter le poisson et faire cuire jusqu'à ce que la chair devienne opaque, environ 5 minutes pour le poisson frais et 10 minutes pour le poisson surgelé.

• Garnir de persil et de parmesan, poivrer et servir dans des assiettes creuses.

●

POISSON À LA NEWBURGH

●

4 PORTIONS

---

3 c. à s.	beurre
1 c. à s.	huile de colza
500 g	filets de poisson au choix
1	carotte, coupée en dés
1	oignon, haché
1	gousse d'ail, émincée
1,25 dl	vin blanc sec
1	tomate, mondée et coupée en dés
2 c. à s.	concentré de tomates
1,25 dl	bouillon de volaille
1 c. à s.	farine
1 c. à s.	jus de citron
1 c. à s.	persil haché
	poivre

• Dans une poêle, faire fondre 1 c. à s. de beurre. Ajouter l'huile et faire chauffer. À feu moyen-vif, y faire sauter le poisson 3 minutes, puis le réserver dans une assiette.

• Faire fondre 1 c. à s. de beurre dans la poêle et y faire revenir la carotte, l'oignon et l'ail. Ajouter le poisson.

• Mouiller avec le vin blanc, couvrir et laisser mijoter 5 minutes, à feu doux.

• Ajouter la tomate, le concentré de tomates et le bouillon de volaille. Amener au point d'ébullition. Mélanger le reste du beurre à la farine. Incorporer à la préparation pour faire épaissir la sauce. Ajouter le jus de citron, le persil et le poivre, et servir avec un riz vapeur.

●

PÉTONCLES SUR LE GRIL

●

2 PORTIONS

10	gros pétoncles
1 c. à s.	huile de maïs
2 c. à s.	jus de citron
2 c. à c.	ciboulette ciselée
1 c. à c.	sel
1	pincée de poivre
5	tranches de bacon
1,25 dl	sauce aux poivres paprika

• Réserver les pétoncles dans un bol.

• Dans un petit bol, mélanger l'huile, le jus de citron, la ciboulette, le sel et le poivre. Verser sur les pétoncles et laisser mariner 30 minutes, en remuant de temps en temps.

• Couper les tranches de bacon en deux. Faire cuire jusqu'à ce que le bacon soit à point, mais non croustillant. Égoutter sur du papier absorbant.

• Faire chauffer la grille du barbecue.

• Retirer les pétoncles de la marinade. Enrouler un morceau de bacon autour de chaque pétoncle et fixer avec un cure-dents.

• Saupoudrer de paprika et placer sur la grille chauffée du barbecue, à 10 cm de la flamme.

• Faire cuire 3 minutes, badigeonner de marinade, retourner et poursuivre la cuisson 4 minutes, ou jusqu'à ce que les pétoncles soient cuits. Servir sur du riz, avec la sauce aux poivres chaude.

●

FILETS DE POISSON AU MAMIROLLE

●

4 PORTIONS

4	filets de poisson, au choix
1 c. à c.	sauce Worcestershire
20 g	beurre
35 g	oignon haché finement
3 c. à s.	farine
¼ litre	lait
100 g	gruyère
	jus de 1 citron

● Préchauffer le four à 220 °C.

● Essuyer les filets de poisson et les disposer dans un plat allant au four, légèrement beurré.

● Dans un petit bol, mélanger le jus de citron et la sauce Worcestershire; verser sur le poisson. Réserver.

● Faire fondre le beurre dans une casserole. Y faire revenir l'oignon 4 à 5 minutes ou jusqu'à ce qu'il soit tendre. Ajouter la farine tout en remuant et faire cuire 1 à 2 minutes.

● Incorporer le lait petit à petit et faire cuire à feu moyen, en remuant continuellement, jusqu'à ce que la sauce épaississe.

● Retirer la casserole du feu. Incorporer le fromage et remuer jusqu'à l'obtention d'une consistance lisse.

● Napper le poisson de sauce, enfourner et faire cuire 10 à 15 minutes ou jusqu'à ce que la chair se détache facilement avec une fourchette. Servir avec une julienne de légumes et un légume vert de votre choix.

●

CONSEIL

Accompagnez ce plat
d'une salade verte
croquante arrosée
d'une vinaigrette
simple.

MOULES ET POISSON EN CASSEROLE

●

4 PORTIONS

1 c. à s.	beurre
2	échalotes nouvelles, hachées
1	oignon, émincé
1	blanc de poireau, émincé
¼ litre	vermouth blanc sec
1	pincée de safran (facultatif)
1	pincée de thym
2 c. à c.	persil haché grossièrement
1	feuille de laurier
1	gousse d'ail, écrasée
2	pommes de terre avec la peau, lavées et coupées en dés
200 g	tomates hachées
1 kg	moules, lavées, brossées et ébarbées
250 g	crevettes crues, décortiquées et déveinées
250 g	poisson coupé en dés
2 c. à s.	crème fraîche épaisse
	poivre
	jus de ½ citron

● Dans une casserole, faire fondre le beurre. À feu moyen, y faire revenir les oignons et le blanc de poireau, 2 à 4 minutes.

● Mouiller avec les trois quarts du vermouth. Poivrer. Incorporer d'abord le safran, le thym, le persil, le laurier et l'ail, puis les pommes de terre, le jus de citron et les tomates. Laisser mijoter 15 minutes, à feu moyen.

● Dans une marmite, verser le reste du vermouth et ajouter les moules, couvrir et faire cuire jusqu'à ce que les moules s'ouvrent. Retirer les moules de leurs coquilles et réserver leur jus de cuisson. Garder quelques moules dans leurs coquilles pour la garniture. Jeter celles qui sont restées fermées.

● Dans la casserole contenant les légumes, ajouter les moules décoquillées, les crevettes, le poisson et le jus de cuisson des moules; laisser mijoter 5 minutes, à feu doux.

● Juste avant de servir, incorporer la crème et garnir des moules réservées.

●

BROCHETTES D'ESPADON

•

6 PORTIONS

1 kg	espadon, sans arêtes et sans peau, détaillé en morceaux
2	oignons, coupés en morceaux
18	tomates cerises
1,25 dl	huile d'olive
2	gousses d'ail, coupées en deux
½ c. à c.	poivre noir fraîchement moulu
1,25 dl	vin blanc sec
1	oignon, haché finement
½ litre	sauce blanche
1 c. à s.	paprika
25 g	ciboulette ciselée finement
30 g	persil haché
	jus de 2 citrons

• Dans un plat peu profond, arroser le poisson du jus de 1 citron. Couvrir et réfrigérer 1 heure environ, en retournant le poisson une fois.

• Préchauffer la grille du barbecue.

• Monter des brochettes de bois préalablement trempées dans de l'eau, en alternant poisson, oignon et tomate cerise. Réserver.

• Mélanger le reste du jus de citron, l'huile d'olive, l'ail et le poivre. Badigeonner les brochettes de ce mélange.

• Faire cuire au barbecue 10 à 15 minutes, en retournant souvent les brochettes et en les badigeonnant généreusement pendant la cuisson.

• Dans une casserole, faire chauffer le vin blanc. Y ajouter l'oignon haché, couvrir et laisser le liquide s'évaporer.

• Incorporer la sauce blanche et saupoudrer de paprika. Bien mélanger et réserver au chaud.

• Dans une assiette, mélanger la ciboulette et le persil; enrober les brochettes de ce mélange, les napper de sauce. Servir avec des pommes de terre cuites au four, si désiré.

•

FILETS DE TRUITE
À LA CORIANDRE

●

2 PORTIONS

___

2	filets de truite, sans arêtes
1 c. à s.	huile de maïs
	poivre fraîchement moulu

SAUCE
½ dl	vermouth blanc sec
1	échalote nouvelle, hachée
1,25 dl	fumet de poisson *ou* bouillon de volaille
1,25 dl	sauce béchamel (voir p. 273) *ou* crème fraîche épaisse
1 c. à s.	coriandre hachée
1 c. à c.	poivre vert

___

• Disposer les filets de truite entre 2 feuilles de pellicule plastique et les aplatir délicatement avec le plat d'une batte à côtelette.

• Badigeonner les filets de truite d'huile et poivrer. Réserver.

• Préchauffer le four à 200 °C.

• Dans une casserole, à feu moyen, faire chauffer le vermouth et l'échalote nouvelle jusqu'à ce qu'il reste 1 c. à s. de liquide.

• Mouiller avec le fumet de poisson et faire réduire de moitié.

• Ajouter la sauce béchamel, la coriandre et le poivre vert; poursuivre la cuisson jusqu'à l'obtention d'une sauce épaisse. Réserver au chaud.

• Huiler une tôle à revêtement antiadhésif et y disposer les filets de truite réservés. Enfourner et faire cuire 8 à 10 minutes.

• Napper de sauce deux assiettes chauffées, y déposer les filets de truite et servir.

●

DARNES DE FLÉTAN À L'ANETH

●

4 À 6 PORTIONS

———

4 à 6	brins d'aneth, hachés finement
1,25 dl	mayonnaise
3 à 4	darnes de flétan
5 c. à s.	semoule de maïs
	sel et poivre

———

• Préchauffer la grille du barbecue.

• Dans un bol, mélanger les brins d'aneth et la mayonnaise. Assaisonner. Bien mélanger.

• Étaler la préparation sur les darnes de flétan, puis les enrober de semoule de maïs.

• Faire cuire au barbecue 10 à 15 minutes, en retournant une seule fois pendant la cuisson.

• Garnir d'aneth et servir.

●

PÉTONCLES AU VERMOUTH

●

2 PORTIONS

350 g	pétoncles
½ dl	jus de citron
1 c. à s.	beurre
100 g	carottes tranchées finement
2	gousses d'ail, hachées
100 g	champignons tranchés
¾ c. à c.	thym
2 c. à c.	fécule de maïs
20 g	échalotes nouvelles émincées
170 g	haricots mange-tout blanchis
3 c. à s.	vermouth blanc sec

• Arroser les pétoncles de jus de citron, les disposer dans un plat peu profond et laisser reposer 30 minutes.

• Dans une poêle à revêtement antiadhésif, faire chauffer le beurre. À feu vif, y faire revenir les carottes et l'ail 3 minutes environ, jusqu'à ce qu'ils soient tendres mais encore croquants.

• Ajouter les champignons et le thym. Poursuivre la cuisson à feu moyen-vif, en remuant sans cesse, environ 5 minutes. Mélanger la fécule de maïs et les pétoncles, puis verser dans la poêle contenant les légumes.

• Poursuivre la cuisson en remuant jusqu'à ce que les pétoncles deviennent opaques, environ 3 à 5 minutes. Ajouter les échalotes nouvelles, les haricots mange-tout et le vermouth. Bien mélanger, retirer du feu et servir.

●

FILETS DE SAINT-PIERRE AU COULIS DE POIVRONS

●

4 PORTIONS

4	filets de saint-pierre de 150 g chacun
2 c. à s.	huile d'olive

COULIS ROUGE

1 c. à s.	beurre
½	oignon rouge, émincé
1	branche de fenouil, émincée
1	poivron rouge, pelé, épépiné et coupé grossièrement
2 c. à s.	vinaigre de riz
1,25 dl	vin blanc sec

COULIS JAUNE

1 c. à s.	beurre
½	branche de céleri, émincée
1	poivron jaune, pelé, épépiné et coupé grossièrement
½	mangue, coupée grossièrement
¼ litre	jus d'ananas

• *Pour préparer le coulis rouge*, dans une petite casserole, faire chauffer le beurre. À feu doux, y faire suer l'oignon, le fenouil et le poivron rouge, 10 minutes. Mouiller avec le vinaigre de riz et le vin; poursuivre la cuisson 10 minutes. Passer au robot ménager, puis réserver au chaud.

• *Pour préparer le coulis jaune*, dans une petite casserole, faire fondre le beurre. À feu doux, y faire suer le céleri, le poivron jaune et la mangue, 10 minutes. Mouiller avec le jus d'ananas et poursuivre la cuisson 10 minutes. Passer au robot ménager, puis réserver au chaud.

• Faire chauffer l'huile d'olive dans une poêle et y faire cuire les filets de saint-pierre jusqu'à ce que la chair devienne opaque, environ 2 à 3 minutes de chaque côté.

• Napper les assiettes des deux coulis, puis y déposer les filets de saint-pierre. Servir avec une fondue de légumes.

●

Préparer le coulis rouge.

Préparer le coulis jaune.

Faire chauffer l'huile d'olive et y faire cuire les filets de saint-pierre.

Napper les assiettes des deux coulis et y déposer les filets de saint-pierre.

SAUMON MINCEUR

●

4 PORTIONS

———————

4	**darnes de saumon, de 200 g chacune, essuyées**

MARINADE

1	**citron vert, tranché finement**
1 c. à s.	**jus de citron vert**
2 c. à s.	**huile de maïs**
2	**gousses d'ail, écrasées**
4	**échalotes nouvelles, tranchées finement**
1	**trait de tabasco**
1	**feuille de laurier**
1	**bouquet de thym, haché**
	poivre

———————

• Mélanger les ingrédients de la marinade. Y déposer les darnes de saumon, couvrir et faire macérer 2 à 3 heures au réfrigérateur.

• Égoutter les darnes de saumon et réserver les tranches de citron vert pour la garniture. Faire griller les darnes de saumon dans une poêle, quelques minutes de chaque côté.

• Pendant la cuisson, badigeonner le saumon de marinade. Éviter de trop le faire cuire car la chair doit demeurer moelleuse.

• Garnir de fines tranches de citron vert, et servir avec un légume de votre choix.

●

CONSEIL

Remplacez le citron vert par du citron ou de l'orange pour obtenir une saveur tout à fait différente.

BROCHETTES DE CREVETTES ADRIATICA

●

4 PORTIONS

2 c. à s.	huile de colza
4 c. à s.	jus de citron
50 g	chapelure fine
500 g	crevettes de grosseur moyenne, crues, décortiquées et déveinées
2	gousses d'ail, hachées finement
2 c. à c.	persil haché finement
	poivre fraîchement moulu

• Dans un bol, mélanger l'huile, le jus de citron et la chapelure pour obtenir une panure crémeuse. Déposer les crevettes dans cette préparation.

• Ajouter l'ail, le persil et le poivre. Bien mélanger. Laisser mariner 20 minutes au réfrigérateur.

• Préchauffer la grille du barbecue.

• Enfiler les crevettes sur des brochettes, dans le sens de la longueur. Faire cuire au barbecue, à feu vif, 3 minutes d'un côté et 2 minutes de l'autre. Servir avec du riz et des poivrons grillés, si désiré.

●

CATAPLANA
DE FRUITS DE MER

4 PORTIONS

½ dl	huile
1	oignon moyen, coupé en rondelles
1	poivron vert, coupé en lanières
1	pointe d'ail, émincée
1	feuille de laurier
2	tomates, mondées et concassées
4	morceaux d'un poisson de votre choix
1	homard, décortiqué et coupé en morceaux
10	noix de coquilles Saint-Jacques (voir conseil)
10	moules
6	calmars de grosseur moyenne, nettoyés et coupés en morceaux
1	verre de vin blanc sec
	sel et poivre

• Préchauffer le four à 200 °C.

• Verser un peu d'huile dans une sauteuse et y faire revenir l'oignon, le poivron et l'ail. Ajouter la feuille de laurier et les tomates; laisser mijoter quelques minutes.

• Ajouter les morceaux de poisson et les fruits de mer, faire cuire quelques minutes et assaisonner. Incorporer le vin blanc et poursuivre la cuisson 1 à 2 minutes.

• Mettre dans une cocotte allant au four, couvrir, enfourner et faire cuire 30 minutes.

CONSEIL

*Faites tremper
les coquilles Saint-
Jacques quelques
minutes dans de l'eau
chaude pour qu'elles
s'ouvrent, afin
d'éliminer le sable
qu'elles peuvent
contenir.*

PAIN DE SAUMON À L'ANCIENNE

●

4 PORTIONS

1	œuf
1,25 dl	lait
45 g	mie de pain de blé entier émiettée
425 g	saumon en conserve, égoutté et défait en morceaux
1 c. à s.	beurre fondu
35 g	oignon haché finement

SAUCE

2 c. à s.	beurre
2 c. à s.	farine
¼ c. à c.	moutarde en poudre
3 dl	lait
1 c. à c.	sauce Worcestershire
	poivre

• Préchauffer le four à 180 °C.

• Dans un bol, battre légèrement l'œuf et le lait. Incorporer la mie de pain et réserver.

• Dans un autre bol, mélanger le saumon, le beurre fondu et l'oignon. Poivrer, puis incorporer au mélange à l'œuf.

• Verser la préparation dans un moule à pain légèrement graissé, enfourner et faire cuire 35 à 40 minutes, en prenant soin de placer le moule au centre du four.

• Entre-temps, pour préparer la sauce, dans une casserole, faire fondre le beurre à feu moyen; incorporer la farine petit à petit, puis la moutarde.

• Ajouter le lait et la sauce Worcestershire; poursuivre la cuisson à feu moyen, en remuant sans cesse, jusqu'à l'obtention d'une sauce lisse et crémeuse.

• Au moment de servir, démouler le pain de saumon dans un plat de présentation et le napper de sauce.

●

CONSEIL

Ajoutez à ce pain de saumon quelques crevettes hachées finement et/ou des olives farcies hachées.

FILETS DE TRUITE FUMÉE À LA MOUSSE DE RAIFORT

●

2 PORTIONS

2	filets de truite fumée de 100 g chacun
1 c. à s.	yaourt nature
1	pincée d'herbes de Provence
2 c. à c.	raifort râpé
1	tomate moyenne, coupée en deux
6	rondelles d'oignon
2	rondelles de citron
1 c. à s.	câpres

• Couper les filets de truite fumée en lanières et les dresser dans une assiette.

• Dans un bol, mélanger le yaourt, les herbes de Provence et le raifort.

• Garnir les demi-tomates de mousse de raifort et disposer à côté des lanières de truite. Servir avec des rondelles d'oignon et de citron, des câpres et du pain grillé.

●

FILETS DE POISSON À L'INDIENNE

4 PORTIONS

40 g	farine
2 c. à c.	poudre de cari
4	filets de poisson, au choix
2 c. à s.	huile
3 c. à s.	beurre
40 g	amandes effilées
2 c. à s.	raisins Sultana
2 c. à s.	noix de coco non sucrée râpée
1 c. à s.	ciboulette ciselée finement

• Dans un bol, mélanger la farine, le poivre et la poudre de cari; enrober légèrement les filets de poisson de ce mélange.

• Dans une poêle à revêtement antiadhésif, faire chauffer l'huile et 2 c. à s. de beurre. À feu moyen, y faire cuire les filets de poisson 4 à 5 minutes de chaque côté.

• Retirer les filets de poisson de la poêle; réserver au chaud dans un plat.

• Dans la poêle, faire fondre le reste du beurre et y faire revenir les amandes, les raisins et la noix de coco 2 à 3 minutes, en remuant sans cesse à l'aide d'une cuillère de bois.

• Garnir les filets de poisson du mélange et parsemer de ciboulette.

PÉTONCLES À L'ORIENTALE

●

4 PORTIONS

S A U C E

1 c. à c.	gingembre râpé
350 g	asperges, coupées en biais
2 c. à c.	huile de maïs
100 g	champignons hachés finement
500 g	pétoncles coupés grossièrement

S A U C E

½ dl	vin blanc sec
½ dl	eau froide
2 c. à s.	sauce soja légère
1 c. à s.	fécule de maïs

• Dans un bol, mélanger tous les ingrédients de la sauce; réserver.

• Huiler légèrement une poêle à revêtement antiadhésif, puis la faire chauffer à feu moyen. Y faire revenir le gingembre 15 secondes. Ajouter les asperges et faire cuire 4 minutes.

• Incorporer l'huile de maïs, 1 cuillerée à la fois, puis ajouter les champignons. Faire cuire 2 minutes ou jusqu'à ce que les asperges soient croquantes. Retirer les légumes de la poêle; réserver.

• Dans la poêle encore chaude, faire cuire la moitié des pétoncles 3 minutes. Retirer de la poêle et réserver au chaud. Faire cuire le reste des pétoncles.

• Verser la sauce réservée dans la poêle et faire cuire tout en remuant jusqu'à ce qu'elle épaississe. Poursuivre la cuisson 1 minute, à feu moyen-doux.

• Remettre les légumes et les pétoncles dans la poêle et faire cuire en remuant, 1 minute. Servir sur un lit de riz, si désiré.

●

CONSEIL

Remplacez

le poisson par

du poulet.

POISSON À LA CHINOISE

4 PORTIONS

40 g	farine
2 à 3	filets de flétan, coupés en bâtonnets de 8 cm de long

PANURE

2	œufs
¼ c. à c.	poivre de Cayenne (facultatif)
1½ c. à s.	sauce soja
50 g	chapelure
50 g	graines de sésame
1,25 dl	huile de maïs
	poivre

LÉGUMES

2 c. à s.	huile de maïs
1	gros oignon, coupé en rondelles
1	gousse d'ail, hachée finement
½	poivron rouge *ou* vert, coupé en lanières
½	brocoli, en bouquets
12	champignons, émincés
150 g	germes de soja
½ c. à c.	racine de gingembre épluchée et hachée finement
2	tomates, mondées et hachées grossièrement
½ c. à c.	fécule de maïs, délayée dans un peu d'eau *ou* de bouillon
2 c. à s.	xérès sec (facultatif)
2 c. à s.	huile de sésame
1,25 dl	bouillon de volaille
1	pincée de sucre

(Suite à la page suivante)

• Fariner les bâtonnets de poisson.

• Dans un bol, battre les œufs et incorporer le poivre, le poivre de Cayenne et 1 c. à c. de sauce soja. Bien mélanger.

• Passer les morceaux de flétan dans le mélange et égoutter.

• Dans une assiette creuse, mélanger la chapelure et les graines de sésame. Bien enrober les bâtonnets de flétan de ce mélange et secouer pour éliminer l'excédent de panure.

• Dans une poêle à revêtement antiadhésif, faire chauffer 1,25 dl d'huile à feu moyen-vif; y faire frire le poisson. Étaler sur une tôle couverte d'une feuille de papier absorbant et réserver au four chaud, en laissant la porte du four légèrement entrouverte.

• Dans une poêle à revêtement antiadhésif, faire chauffer 2 c. à s. d'huile de maïs et y faire revenir rapidement l'oignon, l'ail et le poivron, en remuant sans cesse.

• Ajouter le brocoli, les champignons, les germes de soja et le gingembre. Faire sauter 3 à 4 minutes en remuant. Incorporer les tomates.

• Dans un bol, mélanger le reste des ingrédients. Faire cuire à feu doux jusqu'à l'obtention d'une sauce légèrement liée.

• Dresser dans un plat de présentation et garnir des bâtonnets de poisson.

DAURADE AU SEL

2 PORTIONS

1	daurade d'environ 1 kg
2 kg	gros sel

• Préchauffer le four à 200 °C.

• Vider et nettoyer la daurade en prenant soin de ne pas l'écailler.

• Couvrir d'une couche de gros sel le fond d'un plat allant au four et y déposer la daurade.

• Recouvrir complètement le poisson de gros sel, puis humecter avec un peu d'eau.

• Enfourner et faire cuire 40 minutes. Retirer le poisson du four, briser la croûte de sel et servir.

ESCALOPES DE SAUMON À LA VINAIGRETTE DE PAMPLEMOUSSE ROSE

•

4 PORTIONS

½ dl	vinaigre aromatisé aux framboises *ou* autre
2 c. à s.	sauce soja légère
2 c. à s.	huile d'olive
1 c. à s.	gingembre râpé
¼ c. à c.	cannelle en poudre
¼ c. à c.	tabasco
1 c. à c.	poivre rose séché
2 c. à s.	coriandre émincée
1	pamplemousse rose, détaillé en quartiers pelés à vif et coupés en deux
1	orange, détaillée en quartiers pelés à vif
2	citrons, détaillés en quartiers pelés à vif
4	escalopes de saumon, d'environ 100 g chacune
4	feuilles de laitue
	poivre noir

• Dans un bol, mélanger le vinaigre et la sauce soja. Incorporer l'huile, le gingembre, la cannelle, le tabasco, le poivre rose et la coriandre; poivrer.

• Ajouter, à cette vinaigrette, les quartiers d'agrumes et le saumon. Bien mélanger.

• Couvrir et laisser mariner 1 à 2 heures au réfrigérateur.

• Retirer les quartiers d'orange et le saumon de la vinaigrette. Faire griller les escalopes de saumon à la poêle ou au barbecue.

• Dresser dans des assiettes garnies de feuilles de laitue. Garnir des quartiers d'agrumes et servir.

TIAN AUX PÉTONCLES

●

4 PORTIONS

500 g	pétoncles
2 c. à s.	beurre
500 g	épinards, lavés et essorés
250 g	champignons émincés
1 c. à s.	huile d'olive
1	oignon, haché finement
500 g	tomates, mondées et hachées grossièrement
1	gousse d'ail, hachée finement
	sel et poivre
	jus de citron

• Parer les pétoncles. Les trancher, les assaisonner et les parfumer au jus de citron. Réserver.

• Dans une casserole, faire fondre 1 c. à s. de beurre. Y faire revenir les épinards rapidement. Assaisonner. Réserver au chaud.

• Faire fondre le reste du beurre dans la casserole. Y faire sauter les champignons. Réserver.

• Dans une poêle à revêtement antiadhésif, faire chauffer l'huile. Y faire cuire l'oignon à feu doux, 2 minutes.

• Incorporer les tomates et l'ail. Assaisonner et faire cuire à découvert, 30 minutes. Réserver au chaud.

• Faire cuire les pétoncles à la vapeur environ 1 minute.

• Pour servir, superposer des rangs d'épinards, de mélange aux tomates et de champignons.

• Garnir de tranches de pétoncles et parfumer au jus de citron.

●

LES
Légumes

BROCOLI À LA ROMAINE

●

4 PORTIONS

---

*Le brocoli est riche
en fibres et
en calcium.*

1 kg	brocoli, en bouquets
1	œuf dur
½ dl	huile d'olive
2 c. à s.	jus de citron
2 c. à s.	ciboulette ciselée
1 c. à s.	persil haché
1 c. à s.	estragon haché

• Dans une casserole remplie d'eau bouillante salée, faire cuire le brocoli 10 minutes. Égoutter.

• Couper l'œuf dur en deux et retirer le jaune à l'aide d'une cuillère.

• Au robot ménager, mélanger le jaune d'œuf, l'huile d'olive, le jus de citron et les fines herbes. Verser sur le brocoli tiède et servir.

●

LÉGUMES SAUTÉS AU WOK

●

6 PORTIONS

---

1 c. à s.	graines de sésame
1 c. à s.	huile végétale
1	oignon, émincé
1	brocoli, en petits bouquets
1	poivron rouge et / *ou* vert, tranché
125 g	champignons coupés en quatre
1 c. à c.	huile de sésame (facultatif)
2	gousses d'ail, hachées finement
1 c. à c.	racine de gingembre hachée finement
1,25 dl	bouillon de volaille
2 c. à c.	fécule de maïs
1 c. à c.	sauce soja légère

• Disposer les graines de sésame sur une tôle et les passer sous la rampe du gril pour les faire griller; remuer de temps en temps, jusqu'à ce qu'elles soient dorées. Réserver.

• Dans une grande poêle, à feu vif, faire chauffer l'huile végétale. Y faire sauter l'oignon, le brocoli, le poivron et les champignons 1 à 2 minutes, en remuant souvent.

• Parfumer à l'huile de sésame, à l'ail et au gingembre. Mouiller avec le bouillon de volaille, couvrir et laisser cuire jusqu'à ce que le brocoli soit tendre.

• Délayer la fécule de maïs dans un peu de bouillon ou d'eau additionnée de sauce soja.

• Ajouter aux légumes à la fin de la cuisson du brocoli, et remuer rapidement. Retirer du feu dès que les légumes sont légèrement lustrés.

• Garnir des graines de sésame grillées et servir chaud.

●

CONSEIL

Faites griller les graines de sésame dans la poêle, sans corps gras, avant de préparer la recette.

POMMES DE TERRE FARCIES AUX ÉPINARDS

●

4 PORTIONS

---

300 g	épinards, lavés et parés
50 g	beurre
1	oignon moyen, haché finement
50 g	champignons hachés finement
1	pincée de muscade
1	pincée de poivre
4	grosses pommes de terre, avec la peau, cuites au four
5 c. à s.	yaourt nature
5 c. à s.	mayonnaise légère
2 c. à s.	jambon cuit détaillé en petits dés *ou* bacon émietté
2 c. à s.	beurre fondu
50 g	chapelure
40 g	amandes effilées

- Préchauffer le four à 200 °C.

- Faire cuire légèrement les épinards à la vapeur jusqu'à ce qu'ils soient ramollis. Égoutter, presser et hacher finement. Réserver.

- Dans une grande poêle, faire fondre le beurre à feu moyen. Y faire cuire l'oignon 2 minutes. Ajouter les champignons, la muscade et le poivre, faire cuire à feu doux 3 à 4 minutes. Incorporer aux épinards et réserver.

- Couper une tranche sur le dessus de chaque pomme de terre. À l'aide d'une cuillère, évider les pommes de terre en laissant une paroi de 5 mm d'épaisseur.

- Réduire la chair des pommes de terre en purée. Incorporer le mélange aux épinards. Ajouter le yaourt, la mayonnaise et le jambon. Rectifier l'assaisonnement si nécessaire.

- Avec une cuillère, garnir les pommes de terre du mélange. Dresser dans un plat allant au four.

- Dans un bol, bien mélanger le beurre fondu, la chapelure et les amandes. Parsemer uniformément sur le dessus des pommes de terre. Enfourner et faire cuire 15 à 20 minutes ou jusqu'à ce que la garniture soit croustillante.

●

COUSCOUS VÉGÉTARIEN

●

4 PORTIONS

2 litres	bouillon de volaille chaud
1 kg	couscous cuit
75 g	beurre
2	gros oignons, hachés finement
2	gousses d'ail, hachées finement
3	carottes, coupées en dés
1,25 dl	eau
500 g	pois chiches en conserve, rincés et égouttés
500 g	haricots rouges en conserve, rincés et égouttés
70 g	pistaches *ou* amandes hachées
15 g	persil haché grossièrement
	poivre

• Dans un grand bol, mélanger le bouillon et le couscous. Couvrir et laisser reposer 10 minutes. Réserver.

• Remuer avec une fourchette pour aérer et empêcher la formation de grumeaux.

• Dans une casserole, faire fondre le beurre. À feu moyen, y faire cuire les oignons et l'ail 5 à 6 minutes.

• Ajouter les carottes et l'eau. Couvrir et faire cuire 5 à 6 minutes. Incorporer les pois chiches et les haricots rouges. Baisser le feu et laisser mijoter 5 minutes.

• Ajouter le couscous réservé, les pistaches et le persil. Poivrer et servir.

●

Pour hydrater les légumineuses sèches, faites-les tremper 12 heures dans le double de leur quantité d'eau froide.

CONSEILS

Présentez ce couscous sur un lit de feuilles de laitue romaine.

●

Garnissez de quartiers de citron.

TAJINE DE COURGETTES

4 PORTIONS

1,5 dl	bouillon de volaille
2	gousses d'ail, écrasées
3 c. à s.	huile de maïs
2 c. à s.	concentré de tomates
2 c. à s.	feuilles de coriandre
½ c. à c.	cumin en poudre
1 kg	courgettes, lavées et coupées grossièrement
1	citron
	poivre

• Dans une casserole, mélanger le bouillon, l'ail, l'huile, le concentré de tomates, la coriandre et le cumin. Poivrer et faire bouillir 15 minutes.

• Ajouter les courgettes et faire cuire 35 minutes. Égoutter; réserver le bouillon.

• Dresser les courgettes dans un plat de présentation chaud. Arroser d'un peu de sauce et de jus de citron.

• Garnir de feuilles de coriandre et servir chaud.

RÖSTI FORESTIER

●

4 PORTIONS

---

1 kg	pommes de terre, épluchées
2 c. à s.	beurre
2 c. à s.	huile de maïs
1	oignon, haché finement
225 g	champignons émincés
100 g	jambon, coupé en fines lanières
1	pincée de thym séché
	sel et poivre

• Faire bouillir à demi les pommes de terre. Bien les égoutter, les râper et les égoutter de nouveau si nécessaire. Réserver.

• Dans une poêle à revêtement antiadhésif, faire chauffer le beurre et l'huile. À feu moyen-vif, y faire revenir l'oignon, les champignons et le jambon.

• Ajouter les pommes de terre, assaisonner et parfumer au thym. À l'aide d'une spatule, remuer souvent pendant la cuisson.

• Vers la fin de la cuisson, bien aplatir les pommes de terre pour que le dessous soit croustillant.

• Retourner le rösti pour bien faire dorer l'autre côté.

• Dresser dans un plat de présentation et servir.

●

CONSEIL

Cette recette accompagne merveilleusement les œufs au petit déjeuner.

LÉGUMES AU TOFU ET AU SÉSAME

●

4 PORTIONS

---

250 g	tofu
½ dl	sauce soja légère
2 c. à s.	xérès *ou* marsala
1	gousse d'ail, hachée
6	échalotes nouvelles
1 c. à s.	beurre
1 c. à s.	huile de sésame
150 g	brocoli en bouquets
150 g	carottes tranchées finement
10	champignons, coupés en tranches épaisses
1 c. à s.	gingembre effilé
300 g	vermicelles cuits
2 c. à s.	graines de sésame

• Bien égoutter le tofu, puis le détailler en tranches de 2 cm d'épaisseur.

• Dans un bol, mélanger la sauce soja, le xérès et l'ail. Verser sur le tofu. Laisser mariner 10 minutes. Égoutter le tofu; réserver 2 c. à s. de marinade.

• Tapisser de papier absorbant une tôle. Y déposer le tofu. Couvrir de deux épaisseurs de papier absorbant, puis d'une autre tôle. Presser, puis trancher le tofu en lanières de 1 cm d'épaisseur et le mettre dans un bol.

• Trancher finement le blanc des échalotes nouvelles.

• Dans un poêlon, à feu moyen, faire chauffer le beurre et l'huile de sésame. Y faire sauter le blanc des échalotes nouvelles. Ajouter le brocoli et les carottes; faire sauter en remuant. Ajouter les champignons et le gingembre; poursuivre la cuisson.

(Suite à la page suivante)

1

Préparer la marinade, la verser sur le tofu et laisser mariner.

2

Préparer le tofu.

3

Faire sauter le blanc des échalotes nouvelles. Ajouter les légumes.

4

Faire frire le vert des échalotes nouvelles et le tofu. Incorporer les vermicelles, la marinade et les graines de sésame.

• Trancher en biseau le vert des échalotes nouvelles et les ajouter à la préparation au tofu. Remuer et faire frire quelques minutes. Ajouter les vermicelles, la marinade réservée et les graines de sésame. Remuer délicatement, bien faire réchauffer et servir.

FRICASSÉE DE CHAMPIGNONS

●

4 PORTIONS

1 kg	champignons, émincés
2 c. à s.	beurre
3	échalotes roses, hachées
1 c. à s.	ciboulette ciselée
	poivre

• Dans une poêle à revêtement antiadhésif, à feu moyen, faire cuire les champignons 4 minutes. Égoutter ; réserver séparément les champignons et leur jus de cuisson.

• Dans la même poêle, faire fondre le beurre et y faire cuire les champignons, à feu moyen, 10 minutes.

• Ajouter les échalotes roses, poivrer et poursuivre la cuisson 3 minutes.

• Mouiller avec le jus de cuisson des champignons, parsemer de ciboulette et servir avec un feuilleté de pâte filo, si désiré.

●

GRATIN D'ÉPINARDS

●

4 PORTIONS

50 g	gruyère râpé
2	œufs
1,25 dl	lait
1,25 dl	crème fraîche épaisse *ou* babeurre
1 kg	épinards, lavés et égouttés
	noix de muscade
	poivre

• Préchauffer le four à 200 °C.

• Au robot ménager, mélanger la moitié du fromage, les œufs, le lait, la crème et un peu de noix de muscade râpée et de poivre, jusqu'à l'obtention d'une préparation homogène.

• Réduire la vitesse et ajouter les épinards. Mélanger juste pour les hacher grossièrement.

• Graisser un plat à gratin, y verser la préparation et égaliser la surface. Parsemer du reste de fromage. Enfourner et faire cuire 25 à 30 minutes. Servir très chaud.

●

Recherchez des épinards d'un beau vert foncé; délaissez les feuilles jaunes, amollies, humides et détrempées. Il est préférable de ne pas les faire tremper dans l'eau et de les laver juste avant de les utiliser, afin d'éviter que les feuilles ne perdent leur belle apparence.

CONSEIL

Incorporez du jambon cuit coupé en dés ou en lanières au gratin d'épinards.

POMMES DE TERRE À LA FLORENTINE

4 PORTIONS

8	pommes de terre, lavées et brossées
1½ c. à s.	beurre
250 g	champignons émincés
125 g	oignon haché finement
1	gousse d'ail, hachée finement
100 g	épinards lavés, égouttés et hachés
4	blancs d'œufs, légèrement battus
2	pincées de muscade en poudre
50 g	chapelure
	poivre
	paprika

• Préchauffer le four à 200 °C.

• Faire cuire les pommes de terre au four, 45 minutes.

• Dans une poêle à revêtement antiadhésif, faire fondre le beurre. À feu moyen-vif, y faire revenir les champignons, l'oignon et l'ail.

• Ajouter les épinards et poursuivre la cuisson 3 à 4 minutes environ. Réserver.

• Couper les pommes de terre en deux et les évider à l'aide d'une cuillère, en gardant une mince paroi tout autour. Réserver.

• Réduire la chair des pommes de terre en purée et bien incorporer le mélange aux champignons, les blancs d'œufs, le poivre et la muscade.

• Remplir les demi-pommes de terre évidées de cette préparation, parsemer de chapelure et saupoudrer de paprika.

• Remettre au four et faire cuire environ 15 à 20 minutes. Servir.

TORTILLAS DE LÉGUMINEUSES

4 À 6 PORTIONS

½ dl	huile de colza
1,5 dl	vinaigre blanc *ou* vin blanc sec
100 g	sucre
1	pincée de poivre
2 c. à s.	persil haché
1 c. à s.	sauce Worcestershire
350 g	pois chiches cuits
350 g	haricots rouges cuits
120 g	céleri émincé
50 g	oignon haché finement
4 à 6	tortillas de blé

• Dans un grand bol, bien mélanger l'huile, le vinaigre, le sucre, le poivre, le persil et la sauce Worcestershire.

• Ajouter les légumineuses, le céleri et l'oignon.

• Laisser mariner toute la nuit au réfrigérateur.

• Servir dans des tortillas.

Utilisez les légumineuses en conserve. Elles sont riches en fibres et faibles en matières grasses. Pour réduire leur teneur en sel, rincez-les à l'eau froide avant de les utiliser.

POCHETTES À LA GRECQUE

●

4 PORTIONS

2	**pains pita**
l c. à s.	**huile d'olive**
250 g	**feta**
l	**tomate, coupée en rondelles**
l	**concombre, coupé en rondelles**
l	**oignon, coupé en rondelles**
135 g	**yaourt nature**
8	**olives noires, dénoyautées, tranchées**
l c. à s.	**aneth haché**

• Couper les pains pita en deux. Badigeonner l'intérieur d'huile d'olive.

• Répartir la feta entre les pains pita. Ajouter des tranches de tomate, de concombre et d'oignon.

• Napper de yaourt, garnir d'olives noires et d'aneth; servir.

●

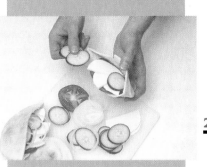

1

Couper les pains pita en deux. Badigeonner l'intérieur d'huile d'olive.

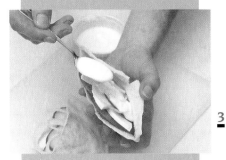

2

Farcir les pains pita de feta, de tomate, de concombre et d'oignon.

3

Napper de yaourt.

4

Garnir d'olives noires et d'aneth.

POMMES DE TERRE EN PAPILLOTE

4 PORTIONS

1 c. à s.	huile de maïs
2	gousses d'ail, hachées
4	pommes de terre, lavées
1 c. à c.	paprika
½ c. à c.	poivre de Cayenne
	poivre

• Mélanger l'huile et l'ail; réserver 30 minutes.

• Préchauffer le four à 200 °C.

• Couper les pommes de terre en deux et les badigeonner d'huile assaisonnée d'ail. Saupoudrer de paprika et de poivre de Cayenne. Poivrer.

• Envelopper chaque demi-pomme de terre dans du papier d'aluminium et faire cuire au four 30 minutes.

• Développer les pommes de terre, puis les faire dorer sous la rampe du gril.

CONSEIL

Remplacez, à votre guise, l'ail par des fines herbes ou par des épices se mariant bien à la saveur du plat que ces pommes de terre accompagnent.

COURGETTES AUX TOMATES ET AU GRUYÈRE

6 PORTIONS

3 c. à s.	huile d'olive
1	gousse d'ail, écrasée
1	oignon, haché finement
4 à 6	courgettes moyennes, coupées en dés
2	tomates, mondées, épépinées et hachées grossièrement
1	petit piment chili, pelé, épépiné et coupé en morceaux *ou* 1 pincée de poivre de Cayenne
100 g	gruyère râpé
30 g	chapelure fraîche

• Huiler un plat à gratin et réserver. Dans une poêle à revêtement antiadhésif, faire chauffer l'huile. À feu moyen, y faire fondre l'ail et l'oignon.

• Incorporer les courgettes, les tomates et le piment chili. Couvrir et faire cuire à feu doux, environ 10 minutes. Remuer de temps en temps pendant la cuisson, pour empêcher les légumes de coller.

• Verser dans le plat à gratin.

• Dans un bol, mélanger le fromage et la chapelure ; en couvrir les légumes.

• Faire gratiner au four 3 à 5 minutes ou jusqu'à ce que le dessus soit croustillant et bien doré ; servir immédiatement.

TARTE AUX OIGNONS SCHAFFHOUSOISE

●

6 À 8 PORTIONS

————

100 g	lard fumé, coupé en lanières
4	gros oignons, émincés
1,25 dl	lait
1,75 dl	crème fraîche épaisse
2	œufs
2 c. à s.	farine
500 g	pâte brisée
	noix de muscade râpée
	cumin
	poivre

————

• Préchauffer le four à 190 °C.

• Dans une poêle à revêtement antiadhésif, à feu moyen-vif, faire revenir le lard fumé et blondir les oignons, 2 minutes. Laisser refroidir.

• Dans un bol, mélanger le lait, la crème, les œufs, la farine, la muscade, le cumin et le poivre. Réserver.

• Foncer une tourtière avec la pâte brisée.

• Répartir le mélange au lard fumé sur le fond de pâte.

• Y verser le mélange au lait, enfourner et faire cuire 30 minutes.

• Sortir du four et servir très chaud.

●

Ajoutez des rondelles de tomate très minces à la garniture.

Accompagnez d'une salade verte pour obtenir un repas complet.

PIZZA À L'OIGNON ROUGE, AUX OLIVES NOIRES ET AU CHÈVRE

●

10 PORTIONS

CROÛTE

1 c. à c.	sucre *ou* miel
3 dl	eau tiède
1	sachet de levure sèche active
500 g	farine
1 c. à c.	sel
2 c. à s.	huile d'olive

GARNITURE

3 c. à s.	huile d'olive
3	oignons rouges, coupés en fines rondelles
1	gousse d'ail, hachée
1	pincée de poivre
50 g	parmesan râpé
100 g	olives noires, coupées en deux
250 g	fromage frais de chèvre
2 c. à s.	basilic *ou* origan haché
	persil haché

• Dans un petit bol, dissoudre le sucre dans ½ dl d'eau tiède. Saupoudrer de levure et laisser reposer 10 minutes ou jusqu'à ce que la préparation mousse.

• Dans un grand bol, mélanger 375 g de farine et le sel; réserver.

• Dans un autre bol, mélanger le reste de l'eau tiède et l'huile. Après avoir remué le mélange à la levure, l'incorporer à cette préparation.

• Incorporer à la farine réservée le mélange à la levure pour obtenir une pâte d'une consistance molle. Ajouter suffisamment de farine pour que la pâte soit facile à pétrir et non collante.

• Déposer la pâte sur une surface légèrement farinée et la pétrir environ 8 minutes ou jusqu'à ce qu'elle soit lisse et élastique. Façonner en boule, déposer dans un bol légèrement graissé et la faire tourner pour l'enduire du corps gras. Couvrir d'un linge et laisser lever dans un endroit chaud 1 heure ou jusqu'à ce que la pâte double de volume.

• *Pour préparer la garniture*, dans une poêle, faire chauffer l'huile. À feu moyen-doux, y faire revenir les oignons et l'ail 5 minutes ou jusqu'à ce qu'ils soient tendres, sans les faire brunir. Poivrer.

• Préchauffer le four à 200 °C.

• Dégonfler la pâte d'un coup de poing, l'aplatir à la main et en garnir une tourtière légèrement graissée.

• Badigeonner la pâte d'huile, la parsemer de parmesan, la garnir de la préparation aux oignons, puis dans l'ordre, parsemer d'olives noires, de fromage de chèvre émietté, de basilic et de persil.

• Enfourner et faire cuire 25 à 30 minutes, jusqu'à ce que la croûte soit bien dorée. Servir chaud ou froid.

●

POIREAUX
À LA SAUCE TOMATE

●

4 PORTIONS

---

2 c. à c.	huile de maïs
1	oignon, haché
1	tomate, hachée
1 c. à s.	concentré de tomates
25 g	persil haché
1	gousse d'ail, hachée
1,75 dl	bouillon de volaille
4	poireaux, coupés en deux, lavés et égouttés
3 c. à s.	gruyère râpé
3	tranches de pain de mie, grillées
	poivre
	jus de citron

• Dans une casserole, faire chauffer l'huile. À feu moyen, y faire fondre l'oignon. Ajouter la tomate et poursuivre la cuisson jusqu'à ce qu'elle soit ramollie.

• Incorporer le concentré de tomates et la moitié du persil. Parfumer à l'ail et mouiller avec le bouillon de volaille. Porter à ébullition, couvrir et laisser mijoter 7 à 8 minutes.

• Ajouter les poireaux et faire braiser à feu doux. Parfumer au poivre et au jus de citron, puis incorporer le reste du persil.

• Parsemer de gruyère râpé les tranches de pain, faire gratiner au four, puis détailler en triangles.

• Pour servir, couper les poireaux braisés en deux et les dresser dans un plat de présentation. Accompagner des tranches de pain gratinées et d'un légume de votre choix.

●

EFFILOCHÉE DE LÉGUMES À LA MENTHE

●

6 PORTIONS

―――――

1	poivron rouge *ou* vert, coupé en fines lanières
2	carottes, coupées en julienne
2	blancs de poireau, coupés en julienne
1 à 2	pincées de muscade
2 c. à s.	beurre fondu
1 c. à c.	feuilles de menthe hachées
	jus de 1 citron *ou* de 1 orange
	poivre

―――――

• Faire cuire les légumes dans de l'eau bouillante salée ou à la vapeur. Égoutter et poivrer.

• Ajouter la muscade et le jus de citron.

• Mélanger le beurre fondu aux légumes et parfumer à la menthe. Servir aussitôt.

●

CONSEIL

Rehaussez le goût des légumes en ajoutant une pointe d'ail.

POIVRONS TEX-MEX

●

4 PORTIONS

4	gros poivrons verts et /*ou* rouges
500 g	blanc de poulet, coupé en morceaux
1	carotte, émincée
60 g	gruyère râpé
1	piment fort (facultatif)
5	olives noires, hachées

VINAIGRETTE

135 g	yaourt nature
1 c. à s.	mayonnaise
1	trait de tabasco
2	gousses d'ail, hachées
1	échalote nouvelle, hachée
	jus de citron vert
	poivre

• Trancher le dessus des poivrons. Les nettoyer soigneusement, puis les faire cuire à la vapeur 5 minutes (ils doivent être encore croquants). Faire refroidir au réfrigérateur.

• Dans un bol, mélanger le poulet, la carotte, le fromage, le piment et les olives. Réserver.

• Préparer la vinaigrette en mélangeant bien tous les ingrédients. Verser sur la préparation au poulet. Bien mélanger.

• Farcir les poivrons de la préparation au poulet et conserver au frais jusqu'au moment de servir.

●

GERMES de SOJA
aux LÉGUMES

•

4 PORTIONS

---

2 c. à s.	huile de maïs
2	carottes, coupées en julienne
1	poireau, coupé en julienne
1	poivron vert, coupé en julienne
250 g	germes de soja
1	tomate, pelée et coupée en dés
1	gousse d'ail, émincée
1,25 dl	bouillon de volaille
2 c. à s.	sauce soja légère
1½ c. à c.	fécule de maïs, délayée dans un peu d'eau froide
	poivre

• Dans une grande poêle, faire chauffer l'huile. Y ajouter les carottes, le poireau et le poivron, couvrir et faire cuire à feu doux, 5 minutes.

• Ajouter les germes de soja et poursuivre la cuisson 2 minutes.

• Ajouter la tomate et l'ail, bien mélanger. Incorporer le bouillon de volaille et la sauce soja.

• Laisser mijoter 5 minutes. Lier avec la fécule de maïs. Poivrer et servir.

Pour préserver le plus possible leur valeur nutritive, les germes de soja doivent être cuits entiers et de préférence, à la vapeur jusqu'à ce qu'ils soient al dente.

CONSEIL

Ajoutez à cette recette tous les légumes de votre choix.

FALAFELS

●

4 PORTIONS

---

500 g	pois chiches en conserve, rincés
4	gousses d'ail
3 c. à s.	beurre de cacahuètes
1	échalote nouvelle
1	oignon, coupé en 8
1	œuf
1	pincée de coriandre
1	pincée de cumin en poudre
1	pincée de poivre de Cayenne
1 c. à s.	sauce soja légère
1 c. à s.	huile de maïs
4	pains pita, coupés en deux

GARNITURE

2	tomates, tranchées
2	concombres, tranchés
250 g	yaourt nature

Utilisez des pois chiches en conserve, il suffit de bien les rincer et de les égoutter. Sinon, calculez 215 g de pois chiches secs pour 350 à 450 g de pois chiches cuits.

• Au robot ménager, réduire les pois chiches en purée.

• Ajouter les autres ingrédients sauf l'huile et les pains pita, et mélanger de nouveau. Façonner des petites croquettes de 1 c. à s. chacune.

• Dans une poêle à revêtement antiadhésif, faire chauffer l'huile et y faire frire les croquettes.

• Déposer les croquettes dans les demi-pains pita, garnir de tranches de tomate, de concombre et de yaourt, et servir.

●

GRATIN DE COURGETTES

4 PORTIONS

40 g	farine ordinaire *ou* de blé entier
1 c. à c.	origan *ou* basilic séché
4 à 5	courgettes moyennes, coupées en fines rondelles
½ dl	huile d'olive *ou* végétale
2	tomates moyennes, tranchées
250 g	yaourt nature *ou* crème aigre
1	gousse d'ail, hachée finement
60 g	sbrinz *ou* parmesan râpé
	poivre
	jus de citron

La courgette est riche en vitamines C et A, en potassium et en calcium.

• Préchauffer le four à 180 °C. Graisser légèrement un plat allant au four.

• Dans un bol, mélanger la farine, l'origan et le poivre. Bien enrober les rondelles de courgette de ce mélange.

• Dans une poêle à revêtement antiadhésif, faire chauffer l'huile. Y faire dorer les courgettes environ 4 minutes de chaque côté. Égoutter sur du papier absorbant.

• Disposer les courgettes dans le plat allant au four; arroser de jus de citron et couvrir de tranches de tomates.

• Dans un petit bol, mélanger le yaourt et l'ail. Verser sur les tranches de tomates. Parsemer de fromage râpé.

• Faire cuire au four 30 minutes ou jusqu'à ce que le fromage forme une légère croûte.

CONSEIL

Farinez les courgettes avant de les faire frire; elles absorberont ainsi beaucoup moins de graisse de cuisson.

TOURTE AUX POMMES DE TERRE ET AUX POIREAUX

●

4 PORTIONS

2	abaisses de pâte feuilletée
100 g	lard fumé, coupé en lanières
300 g	poireaux, coupés finement
1,25 dl	vin blanc sec
4	pommes de terre, non épluchées, tranchées finement
6	petites saucisses, coupées en rondelles
150 g	gruyère *ou* sbrinz râpé
1	œuf, battu
	poivre

• Préchauffer le four à 200 °C.

• Foncer une tourtière avec une abaisse de pâte feuilletée; réserver.

• Dans une casserole, à feu moyen-vif, faire revenir le lard fumé, puis y faire tomber les poireaux. Mouiller avec le vin blanc. Poivrer et faire cuire à l'étuvée. Égoutter puis laisser refroidir.

• Dans l'abaisse de pâte feuilletée, étaler par couches le tiers de chacun des ingrédients suivants : la préparation aux poireaux et au lard fumé, les pommes de terre, les saucisses et le fromage.

• Répéter ces couches deux ou trois fois, puis replier les bords de la pâte feuilletée par-dessus la garniture.

• Badigeonner avec l'œuf battu les bords de la pâte repliée. Couvrir de l'autre abaisse de pâte feuilletée et badigeonner la surface avec le reste de l'œuf battu.

• Enfourner et faire cuire environ 40 minutes.

●

JARDIN DE LÉGUMES D'AUTOMNE

●

4 PORTIONS

―――――――

5 c. à s.	huile d'olive
I	carotte moyenne, pelée et coupée en morceaux
2	petits navets, coupés en dés
I	pomme de terre, épluchée et coupée en morceaux
I	oignon moyen, coupé en morceaux
I	poireau, coupé en morceaux
3	gousses d'ail, émincées
I	pincée de thym
I	pincée de romarin
I	feuille de laurier
¼ litre	vin blanc sec
3,75 dl	bouillon de volaille *ou* eau
2 c. à s.	beurre
250 g	champignons, coupés en 2 *ou* en 4
I	grosse tomate, pelée et coupée en morceaux
3 c. à s.	persil haché
	sel et poivre

―――――――

• Dans une casserole, faire chauffer l'huile d'olive. Y ajouter la carotte, les navets, la pomme de terre, l'oignon et le poireau. Faire cuire quelques minutes en remuant.

• Ajouter l'ail, le thym, le romarin, le laurier, le vin blanc, le sel, le poivre et le bouillon de volaille, couvrir et poursuivre la cuisson 15 à 20 minutes.

• Dans une poêle, faire fondre un peu de beurre. À feu vif, y faire sauter les champignons. Ajouter les champignons et la tomate aux autres légumes dans la casserole et poursuivre la cuisson 5 minutes.

• Dresser dans un plat de présentation, parsemer de persil. Servir très chaud.

●

PIZZA MÉDITERRANÉENNE

●

4 PORTIONS

1	abaisse de pâte à pizza
1 c. à c.	huile d'olive
1,25 dl	sauce tomate
2	tomates, tranchées
4	cœurs d'artichauts, coupés en 4
10	olives noires, dénoyautées et hachées finement
185 g	thon en conserve, égoutté et émietté
125 g	feta émiettée
1 c. à c.	origan séché

• Préchauffer le four à 180 °C.

• Foncer une tourtière avec la pâte à pizza, puis la badigeonner légèrement d'huile d'olive.

• Couvrir d'une mince couche de sauce tomate. Garnir de tranches de tomates, de cœurs d'artichauts, d'olives noires et de thon.

• Parsemer de fromage feta et d'origan.

• Enfourner et faire cuire 10 à 15 minutes ou jusqu'à ce que le fromage soit fondu.

• Servir chaud.

●

CONSEIL

Si vous émincez vos pommes de terre à l'avance, conservez-les dans de l'eau froide. Égouttez-les bien et essuyez-les avant de les utiliser.

GRATIN DAUPHINOIS

●

2 PORTIONS

½	gousse d'ail
1 c. à s.	beurre
2	grosses pommes de terre, épluchées et émincées
170 g	gruyère râpé
1	œuf
135 g	yaourt nature *ou* babeurre
1,25 dl	lait
1	pincée de muscade
	sel et poivre

• Préchauffer le four à 160 °C.

• Frotter un plat à gratin avec l'ail, puis l'enduire de beurre.

• Disposer le tiers des pommes de terre dans le plat à gratin en les faisant se chevaucher. Assaisonner. Parsemer de 35 g de fromage râpé.

• Répéter les mêmes opérations en terminant par une couche de pommes de terre.

• Battre ensemble l'œuf, le yaourt, le lait et la muscade. Verser ce mélange sur les pommes de terre. Ajouter le reste du fromage râpé. Enfourner et faire cuire jusqu'à ce que les pommes de terre soient tendres et le dessus, bien doré.

●

LÉGUMES MARINÉS AUX FINES HERBES

●

4 PORTIONS

___

2	échalotes roses, coupées en 2
2	échalotes nouvelles
50 g	petits bouquets de brocoli
50 g	petits bouquets de chou-fleur
50 g	champignons coupés en 4
2	carottes, coupées en bâtonnets
½	poivron rouge, coupé en morceaux
½	poivron jaune, coupé en morceaux
6	haricots verts
6	haricots jaunes

MARINADE

½ litre	vinaigre blanc
1 c. à s.	piments broyés
1	gousse d'ail
¼ c. à c.	poivre blanc
2 c. à s.	origan haché
1 c. à s.	thym haché
1 c. à c.	miel
¼ litre	eau

___

• Dans une petite casserole, mélanger tous les ingrédients de la marinade et porter à ébullition.

• Disposer tous les légumes dans un bol et les arroser de la marinade chaude.

• Verser les légumes et la marinade dans un bocal et bien fermer. Laisser reposer plusieurs semaines au réfrigérateur avant de servir.

●

LENTILLES À LA TOSCANE

●

4 PORTIONS

———

Les lentilles constituent une excellente source de fer. Elles contiennent également des protéines végétales qui, pour devenir complètes, doivent être accompagnées de céréales, de graines ou de noix. Pour un repas végétarien complet et nutritif, omettez tout simplement la mortadelle.

400 g	lentilles vertes sèches
1 c. à s.	huile d'olive
1	gros oignon, haché
2	gousses d'ail, hachées
2	branches de céleri, coupées en dés
250 g	mortadelle, coupée en julienne
1 c. à s.	origan séché
	sel et poivre

———

• Rincer et trier les lentilles. Les faire tremper 1 heure dans de l'eau froide.

• Dans une casserole, faire chauffer l'huile d'olive. À feu moyen, y faire blondir l'oignon, l'ail et le céleri. Ajouter la mortadelle et laisser cuire 2 minutes.

• Ajouter les lentilles et couvrir d'eau. Assaisonner. Porter à ébullition, baisser le feu et laisser mijoter, à couvert, pendant 1 heure.

• Parsemer d'origan et vérifier la cuisson des lentilles. Ajouter de l'eau, si nécessaire, et poursuivre la cuisson, en vérifiant régulièrement le niveau du liquide.

●

CONSEIL

Les lentilles à la toscane sont habituellement servies arrosées d'un filet d'huile d'olive aromatisée aux fines herbes.

CRÊPES DE POMMES DE TERRE

●

3 PORTIONS

———————

1 c. à s.	oignon haché
1 c. à s.	beurre
500 g	pommes de terre, épluchées et en purée
3 c. à s.	mozzarella *ou* gruyère râpé
½ c. à c.	poivre
½ c. à c.	sel
2 c. à s.	beurre *ou* huile de maïs

———————

• Dans une poêle à revêtement antiadhésif, faire revenir l'oignon dans 1 c. à s. de beurre. Laisser refroidir.

• Dans un bol, mélanger la purée de pommes de terre, l'oignon et le fromage. Assaisonner.

• Façonner le mélange en crêpes de 2 cm d'épaisseur sur 6 cm de diamètre.

• Faire chauffer 2 c. à s. de beurre dans la poêle et y faire revenir les crêpes, à feu vif.

●

Le chou est un légume très riche en vitamines. Il contient deux fois plus de vitamine A que le brocoli et deux fois plus de vitamine C que la plupart des autres légumes, sauf les poivrons.

COMMENT FARCIR LES FEUILLES DE CHOU

Blanchir les feuilles de chou.

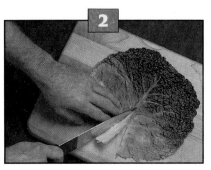

Retirer la nervure centrale des feuilles à l'aide d'un couteau, pour qu'elles soient plus faciles à rouler.

Farcir les feuilles de chou.

Rabattre le bas puis les côtés pour bien enfermer la farce.

Rouler les feuilles de chou.

CIGARES AU CHOU

•

4 À 6 PORTIONS

---

1 c. à s.	beurre
100 g	champignons émincés
2	oignons, hachés finement
1	gousse d'ail, hachée finement
3 c. à s.	persil haché
1	pincée de clou de girofle en poudre
1	pincée d'origan en poudre
500 g	viande de veau maigre hachée
200 g	riz à grains longs *ou* riz brun
25 g	bacon émietté
10 à 12	feuilles de chou, blanchies
2 c. à s.	bouillon de bœuf concentré
¼ litre	eau
5,5 dl	jus de tomate
	sarriette séchée
	jus de 1 citron

• Préchauffer le four à 180 °C.

• Dans une casserole, faire chauffer le beurre. À feu moyen, y faire revenir les champignons. Ajouter les oignons, l'ail, le persil, le clou de girofle, l'origan, la sarriette et la viande; faire cuire quelques minutes. Incorporer le riz et le bacon, puis retirer du feu.

• Étaler les feuilles de chou sur le plan de travail. À l'aide d'une cuillère, répartir la préparation entre elles.

• Rouler les feuilles de chou en repliant les extrémités et déposer dans un plat allant au four.

• Dans un bol, diluer le bouillon de bœuf dans l'eau. Ajouter le jus de tomate et verser sur les rouleaux. Arroser de jus de citron et couvrir d'une feuille de papier d'aluminium.

• Enfourner et faire cuire 1 à 1½ heure, ou jusqu'à ce que les rouleaux soient tendres.

•

GALETTES DE POMMES DE TERRE À L'ANETH

•

4 PORTIONS

2	pommes de terre, épluchées et cuites
1	œuf
40 g	farine
½ c. à c.	levure chimique
1	pincée de sel
½ c. à c.	poivre
2 c. à s.	beurre fondu
3,25 dl	babeurre *ou* crème fleurette
150 g	chair de crabe, hachée
70 g	cheddar coupé en dés
3 c. à s.	aneth *ou* persil haché

• Réduire les pommes de terre en purée. Laisser refroidir.

• Dans un bol, battre l'œuf et incorporer la farine, la levure chimique, le sel et le poivre. En fouettant, incorporer 1 c. à s. de beurre fondu et le babeurre.

• Incorporer graduellement la préparation liquide à la purée de pommes de terre et ajouter la chair de crabe, le fromage et l'aneth.

• Dans une grande poêle, à feu moyen, faire fondre le reste du beurre. Y laisser tomber la préparation, par grosses cuillerées à soupe, à environ 10 cm de distance les unes des autres. Faire cuire les galettes 3 à 4 minutes, jusqu'à ce qu'elles soient dorées; les retourner à mi-cuisson.

• Disposer dans un plat de présentation et réserver dans un four préchauffé à 65 °C.

•

CONSEIL

Accompagnez ces galettes d'une sauce à base de yaourt nature et d'une salade verte.

COURGETTES AU FOUR

●

6 À 8 PORTIONS

6	petites courgettes
3	œufs
2 c. à c.	ciboulette ciselée
2 c. à s.	aneth haché
2 c. à s.	menthe hachée
2 c. à s.	persil haché
60 g	gruyère râpé
2 c. à s.	feta coupée en dés
250 g	farine
10	olives noires, dénoyautées (facultatif)
	poivre
	poivre de Cayenne

• Préchauffer le four à 180 °C.

• Râper grossièrement les courgettes. Les mettre dans un bol et bien incorporer les œufs, les fines herbes et les fromages.

• Ajouter graduellement la farine, sans cesser de mélanger. Assaisonner.

• Graisser un moule d'environ 23 cm de diamètre.

• Bien répartir le mélange dans le moule et garnir d'olives noires.

• Enfourner et faire cuire 45 à 55 minutes, jusqu'à ce que le dessus soit bien doré.

• Sortir du four, découper en carrés et servir chaud ou froid.

●

LES
Pâtes

Relevez ce plat

d'origan ou de

basilic haché.

FUSILLI AUX OLIVES NOIRES

2 PORTIONS

1 c. à c.	huile d'olive
1 c. à c.	beurre
425 g	tomates en conserve, égouttées et hachées finement
½	gousse d'ail, hachée
100 g	olives noires hachées
50 g	fromage frais crémeux
3 c. à s.	sbrinz *ou* gruyère râpé
200 g	fusilli cuits
	persil haché
	poivre

• Dans une poêle, faire chauffer l'huile et le beurre.

• Ajouter les tomates, l'ail et les olives. Laisser mijoter 5 à 6 minutes. Poivrer.

• Ajouter le fromage frais crémeux; bien remuer.

• Ajouter le persil et le fromage râpé.

• Incorporer les pâtes. Mélanger délicatement et servir.

352

COQUILLETTES AUX CŒURS D'ARTICHAUTS

•

2 PORTIONS

200 g	coquillettes
2 c. à s.	huile de maïs
2	gousses d'ail, hachées finement
6 à 8	champignons, émincés
4 à 5	cœurs d'artichauts en conserve, coupés en 4
½ dl	sauce tomate
2 c. à s.	persil haché
4 à 6	olives noires, dénoyautées et hachées
	poivre

• Faire cuire les coquillettes dans de l'eau bouillante salée, jusqu'à ce qu'elles soient *al dente*. Égoutter et réserver.

• Dans une casserole, faire chauffer l'huile. À feu moyen-vif, y faire revenir l'ail rapidement. Ajouter les champignons, puis les cœurs d'artichauts et faire cuire 3 à 4 minutes.

• Ajouter la sauce tomate et le persil. Poivrer.

• Bien incorporer les pâtes et les olives et servir immédiatement.

•

MACARONIS AUX LÉGUMES

●

2 PORTIONS

———

1	œuf
2	blancs d'œufs
½ dl	lait
60 g	mozzarella *ou* emmental râpé
2 c. à s.	sbrinz *ou* gruyère râpé
1	pincée d'origan séché *ou* ½ c. à c. de coriandre hachée
1 c. à s.	beurre
1	échalote nouvelle, émincée
1	gousse d'ail, hachée finement
250 g	macaronis coupés, cuits et égouttés
250 g	mélange de légumes au choix, coupés et cuits
	poivre fraîchement moulu

● Dans un bol, bien fouetter l'œuf et les blancs d'œufs.

● Incorporer le lait, les fromages, l'origan et le poivre. Réserver.

● Dans une casserole, faire chauffer le beurre. À feu moyen, y faire revenir l'échalote nouvelle et l'ail. Ajouter les macaronis, bien mélanger et incorporer le mélange aux œufs.

● Faire cuire à feu doux, en remuant sans cesse, 2 à 3 minutes ou jusqu'à ce que le mélange devienne onctueux.

● Incorporer les légumes chauds et servir immédiatement.

●

LASAGNE AUX TOMATES GRILLÉES

●

4 PORTIONS

6	tomates, mondées, épépinées et coupées en quartiers
1 c. à s.	huile de maïs
2 c. à s.	ail haché finement
4	saucisses, coupées en rondelles
1,25 dl	sauce aux champignons
1 c. à c.	vinaigre de vin rouge
10 g	basilic haché finement
12	feuilles de lasagne, divisées en 3, cuites et égouttées
	parmesan râpé
	poivre

• Dans une poêle à revêtement antiadhésif, faire cuire les tomates quelques minutes. Réserver dans un bol.

• Dans une casserole, faire chauffer l'huile. À feu doux, y faire cuire l'ail et les saucisses. Ajouter les tomates, puis incorporer la sauce aux champignons. Faire chauffer à doux.

• Parfumer au vinaigre de vin et ajouter le basilic. Poivrer.

• Incorporer délicatement les pâtes. Parsemer de parmesan et servir.

●

FETTUCINE À LA VÉNITIENNE

—•—

6 PORTIONS

675 g	saucisses *ou* chair à saucisse
2 c. à s.	beurre
1 c. à s.	huile de maïs
1	oignon, haché
1	gousse d'ail, hachée
2 c. à s.	persil haché
1 c. à c.	basilic séché
1 c. à c.	estragon séché
1 c. à c.	thym séché
500 g	champignons tranchés
500 g	tomates roma en purée
250 g	fettucine
50 g	parmesan râpé
	poivre

• Retirer le boyau de chacune des saucisses ; réserver la chair.

• Dans une grande poêle, faire chauffer 1 c. à s. de beurre et d'huile. À feu vif, y faire sauter l'oignon et l'ail.

• Ajouter la chair des saucisses et les fines herbes. Faire cuire à feu moyen 10 minutes, en remuant de temps en temps.

• Incorporer les champignons et les tomates en remuant. Poivrer et porter à ébullition. Baisser le feu et laisser mijoter 10 minutes.

• Dans une casserole remplie d'eau bouillante salée, faire cuire les fettucine jusqu'à ce qu'ils soient *al dente*. Égoutter et réserver.

• Dans une casserole, faire fondre le reste du beurre et y verser les pâtes. Remuer pour bien les enrober de beurre fondu. Ajouter la moitié du mélange aux saucisses. Bien mélanger.

• Disposer les pâtes dans un plat de présentation et napper du reste du mélange aux saucisses. Parsemer de parmesan et servir aussitôt.

—•—

1

Retirer le boyau de chacune des saucisses.

2

Ajouter la chair des saucisses et les fines herbes. Faire cuire à feu moyen.

3

Incorporer les champignons et les tomates en remuant. Poivrer et porter à ébullition.

4

Bien enrober le pâtes de beurre fondu. Ajouter la moitié du mélange aux saucisses.

PÂTES AU FROMAGE

●

4 PORTIONS

Vous pouvez utiliser la plupart des fromages dans la préparation de la sauce, sauf les croûtes fleuries telles que le camembert, le brie, etc. Vous obtiendrez une sauce délicieuse avec du bleu.

2 c. à s.	beurre
1 c. à s.	farine
¼ litre	lait
30 g	mozzarella coupée en morceaux
150 g	gruyère coupé en morceaux
125 g	ricotta
500 g	pâtes courtes
	poivre

• Dans une casserole, à feu moyen, faire fondre le beurre. Ajouter la farine et bien mélanger.

• Incorporer le lait et les fromages. Laisser fondre les fromages à feu doux.

• Entre-temps, dans une casserole remplie d'eau bouillante salée, faire cuire les pâtes jusqu'à ce qu'elles soient *al dente*, puis les égoutter.

• Ajouter les pâtes à la sauce aux fromages, poivrer, bien mélanger et servir immédiatement.

●

SPAGHETTINI
À LA FORESTIÈRE

•

2 PORTIONS

---

2 c. à c.	beurre
1	échalote rose, hachée
10 à 12	champignons, émincés
3 c. à s.	vin blanc sec
¼ litre	crème fraîche épaisse
50 g	fromage frais crémeux
200 g	spaghettini, cuits et chauds
2 c. à s.	persil haché
	poivre

• Dans une poêle, faire fondre le beurre. À feu moyen, y faire suer l'échalote 1 minute.

• Ajouter les champignons et le vin blanc. Faire cuire jusqu'à l'évaporation complète du liquide.

• Incorporer la crème fraîche épaisse et le fromage. Laisser épaissir légèrement à feu doux.

• Poivrer. Ajouter les pâtes et mélanger délicatement.

• Garnir de persil et servir immédiatement.

•

TAGLIATELLE
À LA SAUCE ROSÉE

●

2 PORTIONS

---

1 c. à s.	beurre
½	oignon, haché finement
1,25 dl	sauce tomate *ou* tomates broyées
1,75 dl	sauce béchamel (voir p. 273)
½	gousse d'ail, hachée finement
1	pincée d'origan haché *ou* de basilic en poudre
50 g	fromage frais crémeux
200 g	chair de crabe
200 g	tagliatelle cuits et chauds
	persil haché
	poivre

• Dans une casserole, faire fondre le beurre. À feu moyen-vif, y faire fondre l'oignon.

• Ajouter les sauces tomate et béchamel. Parfumer à l'ail et à l'origan ; bien remuer.

• Incorporer le fromage et faire chauffer jusqu'à ce qu'il soit fondu. Retirer du feu, poivrer et incorporer délicatement la chair de crabe.

• Dresser les pâtes chaudes dans des assiettes. Napper de sauce, garnir de persil et servir.

●

FUSILLI
À L'ÉMINCÉ DE BŒUF

●

4 PORTIONS

---

1 c. à s.	beurre
1	échalote rose, hachée
500 g	filet de bœuf, émincé
½	poivron vert émincé
50 g	champignons émincés
1 c. à s.	vinaigre aromatisé aux fruits *ou* vin blanc sec
½ litre	fond brun de veau
250 g	fusilli cuits
1 c. à c.	olives vertes *ou* noires hachées
	muscade en poudre

• Dans une poêle à revêtement antiadhésif, faire chauffer le beurre. Y faire revenir l'échalote hachée.

• Ajouter le bœuf et faire revenir 2 à 3 minutes, à feu moyen. Incorporer le poivron vert et les champignons et bien mélanger.

• Parfumer au vinaigre aromatisé et incorporer le fond brun.

• Ajouter les pâtes et mélanger délicatement.

• Saupoudrer de muscade, garnir d'olives et servir immédiatement.

●

PÂTES AU GINGEMBRE

2 PORTIONS

1,25 dl	crème fleurette
135 g	yaourt nature
1 c. à c.	ail haché finement
1 c. à c.	gingembre haché finement
1 c. à c.	fécule de maïsdélayée dans un peu d'eau froide.
40 g	courgettes coupées en julienne
500 g	pâtes courtes cuites
1 c. à s.	persil haché grossièrement
50 g	tomates mondées, épépinées et coupées en dés
	poivre fraîchement moulu

• Dans une grande poêle, mélanger la crème, le yaourt, l'ail et le gingembre. Porter à ébullition et laisser réduire de moitié à feu moyen, 5 minutes environ, en remuant souvent.

• Lier à la fécule de maïs, puis ajouter les courgettes; laisser cuire 1 à 2 minutes. Incorporer les pâtes et laisser mijoter environ 30 secondes. Bien mélanger.

• Poivrer. Dresser dans des assiettes chauffées, garnir de persil et de dés de tomates; servir immédiatement.

CONSEIL

Pour rehausser la saveur de ce plat, ajoutez du fromage râpé (gruyère, sbrinz, parmesan) au goût.

PÂTES FROIDES À L'AVOCAT

●

4 PORTIONS

---

375 g	tagliatelle
2	tomates, mondées, épépinées et coupées grossièrement
2	avocats, épluchés et dénoyautés
1	oignon blanc
4 c. à c.	huile d'olive
	poivre
	sauce tabasco
	ciboulette *ou* coriandre, hachée
	jus de 1 citron

• Faire cuire les pâtes dans de l'eau bouillante salée jusqu'à ce qu'elles soient *al dente*.

• Entre-temps, au robot ménager, réduire en purée tous les autres ingrédients, sauf la ciboulette.

• Égoutter les pâtes et bien les enrober de la préparation aux avocats.

• Parsemer de ciboulette, laisser refroidir et servir.

●

SPAGHETTATA À L'AIL

●

4 PORTIONS

———————

½ dl	huile d'olive *ou* végétale
2	gousses d'ail, hachées
500 g	spaghettis *ou* spaghettini cuits
3 c. à s.	persil haché
	sbrinz *ou* parmesan râpé
	poivre

———————

• Dans une poêle, à feu moyen, faire chauffer l'huile et y faire revenir l'ail environ 5 minutes.

• Ajouter le persil et le poivre.

• Déposer les pâtes dans la poêle pour les réchauffer; mélanger délicatement à l'aide de deux fourchettes.

• Servir dans des assiettes creuses et parsemer de sbrinz.

●

RIGATONI À LA SAUCISSE

•

4 PORTIONS

---

250 g	saucisses
100 g	aubergine non pelée et coupée en dés
1	poivron rouge, coupé en dés
1	poivron vert, coupé en dés
1	gousse d'ail, hachée
540 g	tomates en conserve, avec leur jus
½ c. à c.	basilic séché
½ c. à c.	origan séché
½ c. à c.	thym séché
250 g	rigatoni
	poivre

• Détailler les saucisses en morceaux de 2,5 cm (1 po). Les mettre dans une poêle avec 50 ml (¼ tasse) d'eau et faire cuire à découvert, à feu moyen-vif. Laisser l'eau s'évaporer, puis faire dorer légèrement les saucisses.

• Ajouter l'aubergine et faire cuire à feu moyen, 15 minutes. Remuer de temps en temps. Incorporer les poivrons et l'ail; faire cuire 3 minutes.

• Incorporer les tomates, le basilic, l'origan et le thym. Écraser les tomates avec le dos d'une cuillère. Laisser mijoter à découvert, 5 minutes. Poivrer.

• Entre-temps, faire cuire les rigatoni dans de l'eau bouillante salée jusqu'à ce qu'ils soient *al dente*. Les égoutter et les mélanger à la préparation aux saucisses. Servir immédiatement.

•

CONSEIL

Remplacez l'aubergine par des courgettes.

FUSILLI AU BLEU

●

2 PORTIONS

———

60 g	bleu
1,25 dl	crème fleurette *ou* sauce béchamel (voir p. 273)
2 c. à s.	vin rouge sec
1 c. à c.	beurre
50 g	champignons émincés
200 g	fusilli cuits
2 c. à c.	persil haché grossièrement
	poivre en grains

———

• Dans un bol, écraser à la fourchette le bleu avec la crème et le vin rouge. Poivrer; réserver.

• Dans une poêle à revêtement antiadhésif, faire chauffer le beurre. À feu moyen-vif, y faire revenir rapidement les champignons.

• Ajouter les pâtes et le persil. Incorporer ce mélange au fromage et remuer avec une cuillère de bois. Servir immédiatement.

●

CONSEIL

Si vous utilisez du poivre vert, n'oubliez pas de bien l'écraser avec le plat de la lame d'un large couteau.

PÂTES AU CITRON

—●—

4 PORTIONS

4	échalotes nouvelles, hachées
1 c. à s.	paprika
4 c. à s.	huile d'olive
375 g	fettucine
3 c. à s.	persil haché
	jus et zeste de 1 citron
	sel et poivre

• Mettre les échalotes nouvelles dans une casserole. Assaisonner, puis ajouter le paprika, l'huile d'olive, le jus et le zeste de citron. Faire chauffer sans faire bouillir.

• Faire cuire les pâtes dans de l'eau bouillante salée jusqu'à ce qu'elles soient *al dente*.

• Égoutter les pâtes, les incorporer à la sauce, garnir de persil et servir.

—●—

SPÄTZLE

2 À 4 PORTIONS

450 g	farine
3	œufs
3 dl	eau
1 c. à c.	sel
1 c. à c.	bouillon de volaille concentré liquide
	gruyère râpé grossièrement

• Dans un grand bol, à l'aide d'une cuillère, mélanger tous les ingrédients, sauf le gruyère. Battre jusqu'à l'obtention d'une pâte molle, de laquelle s'échappent des bulles d'air.

• Couvrir la pâte et laisser reposer 1 heure environ.

• Dans un grand fait-tout, porter à ébullition 3 à 4 litres d'eau.

• Déposer un peu de pâte sur une planche de bois et, à l'aide d'un couteau, la détailler en petits morceaux.

• Faire cuire les morceaux de pâte dans l'eau bouillante, quelques-uns à la fois. Les spätzle sont cuits lorsqu'ils remontent à la surface.

• Égoutter les spätzle et les déposer sur un plat. Ajouter une noisette de beurre et mélanger pour les empêcher de coller les uns aux autres.

• Parsemer de gruyère râpé et servir immédiatement.

PÂTES ULTRA LÉGÈRES

●

4 PORTIONS

1 c. à s.	beurre
1	gousse d'ail, émincée
75 g	carottes coupées en julienne
50 g	poireau émincé
60 g	haricots coupés dans le sens de la longueur
1,25 dl	bouillon de volaille
25 g	parmesan râpé
15 g	persil haché
2 c. à s.	basilic haché
375 g	penne
	sel et poivre

● Dans une casserole, faire fondre le beurre. À feu moyen-vif, y faire revenir l'ail et les légumes 2 minutes.

● Mouiller avec le bouillon, porter à ébullition, baisser le feu et laisser mijoter 7 minutes.

● À feu moyen, ajouter le fromage et les fines herbes. Faire chauffer jusqu'à ce que le fromage soit fondu. Retirer du feu; réserver au chaud.

● Faire cuire les penne dans de l'eau bouillante salée 4 à 5 minutes ou jusqu'à ce qu'elles soient *al dente*. Égoutter et bien incorporer à la sauce. Assaisonner, mélanger et servir.

●

PENNE AUX ASPERGES ET AUX PLEUROTES

4 PORTIONS

24	asperges
I c. à s.	beurre
6 à 8	pleurotes de grosseur moyenne, émincées
500 g	penne cuites
I c. à s.	vinaigre balsamique
¼ litre	sauce tomate *ou* coulis de tomates
3 c. à s.	sbrinz *ou* parmesan râpé
	poivre

• Détailler les asperges en biais, de la longueur des penne, puis les faire cuire à l'étuvée ou dans de l'eau bouillante salée. Bien égoutter, réserver.

• Dans une casserole, faire fondre le beurre. Y faire revenir les pleurotes. Ajouter les asperges, puis les penne.

• Poivrer et parfumer au vinaigre balsamique.

• Incorporer délicatement la sauce tomate et faire chauffer légèrement, à feu moyen-doux.

• Servir dans des assiettes creuses réchauffées et parsemer de fromage.

SPAGHETTINI
À LA COURGETTE

●

4 PORTIONS

1	grosse courgette, coupée en julienne
500 g	spaghettini cuits
1 c. à c.	beurre
2	gousses d'ail, hachées finement
2	œufs, légèrement battus
175 g	fromage fondu à tartiner
	jus de ½ citron
	poivre

• Faire cuire la julienne de courgette à l'étuvée. Réserver.

• Dans une poêle, faire réchauffer les pâtes dans un peu de beurre. Parfumer à l'ail.

• Dans un bol, battre les œufs et le fromage. Verser sur les spaghettini, bien mélanger et faire chauffer quelques minutes. Poivrer.

• Dresser dans des assiettes, garnir de la julienne de courgette, arroser de jus de citron et servir.

●

MACARONIS AU FROMAGE ET À LA **SAUCISSE**

●

2 PORTIONS

2 c. à s.	beurre
2 c. à s.	farine
I c. à s.	moutarde forte
½ litre	lait
4	saucisses
300 g	macaronis coupés cuits
250 g	carottes émincées cuites
250 g	fromage fondu à tartiner
4	échalotes nouvelles, hachées
	poivre

CONSEILS

Faites gratiner ce plat avant de le servir.

●

Remplacez les carottes par des restes de légumes cuits.

● Dans une casserole, faire chauffer le beurre. Ajouter la farine et la moutarde, puis incorporer le lait.

● Faire cuire à feu moyen-vif 2 à 3 minutes, en fouettant, jusqu'à l'obtention d'une sauce épaisse et onctueuse.

● Baisser le feu à doux, incorporer les saucisses et faire cuire 1 ou 2 minutes.

● Ajouter les pâtes et les carottes et faire réchauffer 2 à 3 minutes, en remuant. Incorporer le fromage et les échalotes nouvelles; faire cuire 1 minute. Poivrer et servir.

●

PENNE AUX PETITS CRUSTACÉS

●

2 PORTIONS

---

200 g	penne
2 c. à s.	beurre
1	gousse d'ail, hachée finement
200 g	crevettes rouges, décortiquées et déveinées
2	quartiers de citron
1 c. à c.	brandy, cognac *ou* whisky (facultatif)
1,25 dl	sauce béchamel (voir p. 273)
1 c. à s.	ketchup *ou* sauce au chili
2 c. à s.	persil haché
	poivre *ou* poivre de Cayenne

• Faire cuire les pâtes dans de l'eau bouillante salée jusqu'à ce qu'elles soient *al dente*. Égoutter et réserver au chaud.

• Dans une casserole, faire chauffer le beurre et l'ail. Y faire sauter les crevettes, puis les citronner. Déglacer la casserole au brandy, si désiré.

• Mélanger la sauce béchamel et le ketchup; incorporer aux crevettes.

• Assaisonner et faire mijoter 2 à 3 minutes, à feu moyen-doux.

• Dresser les pâtes chaudes dans des assiettes. Napper de sauce aux crevettes. Garnir de persil et servir immédiatement.

●

PÂTES aux PISTACHES ET AU JAMBON DE BAYONNE

●

2 PORTIONS

---

3 c. à s.	vin blanc sec *ou* vermouth blanc sec
3 c. à s.	pistaches hachées finement
½ dl	sauce tomate aux fines herbes et à l'ail
1 c. à s.	persil haché
1 c. à s.	crème fleurette *ou* fromage frais crémeux
1	pincée de muscade
200 g	linguine, spaghettini, *ou* autres pâtes, cuites et chaudes
4	fines tranches de jambon de Bayonne
	poivre

• Dans une poêle à revêtement antiadhésif, à feu moyen-vif, faire chauffer le vin blanc et les pistaches.

• Laisser réduire jusqu'à l'évaporation presque complète du vin. Ajouter la sauce et le persil, et poursuivre la cuisson à feu très doux.

• Bien incorporer la crème. Poivrer et parfumer à la muscade.

• Dresser les pâtes chaudes dans les assiettes et garnir de tranches de jambon. Napper de sauce et servir immédiatement.

●

Le jambon de Bayonne est un jambon cru qui est séché, saumuré par un salage et parfois fumé. Qu'il soit cru ou cuit, ce jambon est généralement très salé, c'est pourquoi il est conseillé de le consommer avec modération.

TORTELLINI PRIMAVERA

●

4 PORTIONS

I c. à s.	beurre
100 g	champignons émincés
85 g	oignons hachés
I	gousse d'ail, hachée
250 g	épinards
I	tomate moyenne, hachée
½ dl	lait
25 g	sbrinz *ou* parmesan râpé
½ c. à c.	thym séché
½ c. à c.	origan séché
250 g	tortellini, cuits et égouttés
250 g	fromage frais crémeux
	poivre

• Dans une casserole, faire fondre le beurre. À feu moyen, y faire cuire les champignons, les oignons et l'ail. Ajouter tous les ingrédients, sauf les tortellini et le fromage frais crémeux. Bien mélanger.

• En remuant sans cesse, faire cuire jusqu'à ébullition. Ajouter les tortellini et le fromage frais crémeux. Faire chauffer à feu doux quelques minutes, en remuant délicatement. Servir chaud.

●

CASSEROLE AUX NOUILLES ET AU JAMBON, GRATINÉE

●

4 PORTIONS

───────────

2 c. à s.	beurre
85 g	oignons hachés
60 g	poivron vert coupé en petits dés
300 g	crème de champignon en conserve *ou* concentrée
190 g	yaourt nature
250 g	nouilles aux œufs *ou* autres, cuites
175 g	mozzarella râpée
75 g	jambon coupé en dés

───────────

• Préchauffer le four à 180 °C.

• Dans une casserole, faire fondre le beurre et y faire revenir les oignons et le poivron.

• Retirer du feu et, en remuant sans cesse, incorporer la crème de champignon et le yaourt.

• Huiler légèrement un plat allant au four et y disposer, par couches, les nouilles, le fromage, le jambon et la sauce aux légumes et aux champignons. Terminer par une couche de fromage.

• Enfourner et faire cuire 30 à 45 minutes. Servir chaud avec une salade de légumes.

●

CONSEIL

Ajoutez une pointe d'ail et du persil haché.

SPAGHETTINI AUX OIGNONS

4 PORTIONS

2 c. à s.	beurre
4	oignons, émincés
¼ litre	sauce tomate aux fines herbes et à l'ail
½ c. à c.	poivre
500 g	spaghettini, cuits et chauds
25 g	bacon cuit croustillant et émietté
100 g	parmesan râpé
3 c. à s.	persil haché

• Dans une poêle à revêtement antiadhésif, faire fondre le beurre. À feu moyen-vif, y faire fondre les oignons.

• Ajouter la sauce tomate et le poivre. Porter à ébullition et laisser mijoter 2 minutes.

• Dresser les spaghettini dans des assiettes. Napper de sauce, parsemer de bacon, de fromage et de persil, et servir.

RAVIOLIS AUX NOIX DE COQUILLES SAINT-JACQUES ET AU SAFRAN

4 PORTIONS

PÂTE

500 g	farine
150 g	farine de semoule
5	œufs
½ c. à c.	sel

FARCE

350 g	noix de coquilles Saint-Jacques
5 c. à s.	crème fraîche épaisse
½ dl	huile d'olive
2 c. à s.	échalotes nouvelles hachées
3 c. à s.	olives noires hachées
	poivre

BOUILLON

½ litre	bouillon de volaille *ou* fumet de poisson
I	pincée de safran
I c. à c.	ail haché finement
½ dl	vin blanc sec (facultatif)
I c. à c.	cari
15 g	tomates séchées, hachées *ou* I tomate mondée, épépinée et hachée

• Au robot ménager, mélanger tous les ingrédients de la pâte.

• Fariner la pâte, l'envelopper dans une pellicule plastique et réfrigérer au moins 1 heure.

• Au robot ménager, réduire les noix de coquilles Saint-Jacques en purée. Ajouter la crème et l'huile. À la spatule, incorporer le poivre, les échalotes nouvelles et les olives noires.

• Abaisser la pâte très finement au rouleau à pâtisserie et découper des carrés de 8 cm de côté. Sur chaque carré de pâte, déposer environ 1 c. à s. de farce. Humecter les bords de la pâte avec de l'eau et couvrir d'un autre carré de pâte. Bien presser les bords pour souder.

• Faire cuire dans de l'eau bouillante salée, quelques minutes. Égoutter et réserver.

• Pour préparer le bouillon, mélanger tous les ingrédients dans une casserole et porter à ébullition.

• Retirer du feu et incorporer les raviolis. Servir dans des assiettes creuses.

Ajoutez à la farce de la chair de homard ou de crabe.

383

L E S
Desserts

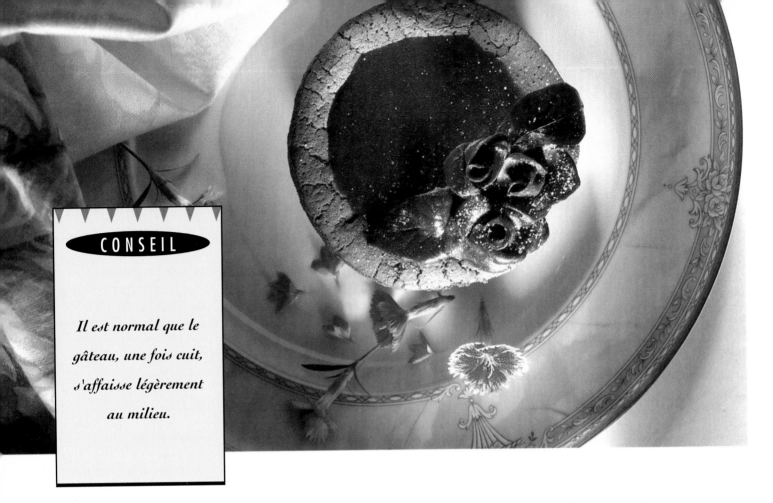

SUBLIME AU CHOCOLAT

8 À 10 PORTIONS

GÂTEAU

170 g	chocolat mi-amer
175 g	beurre
4	jaunes d'œufs
150 g	sucre semoule
45 g	farine
4	blancs d'œufs
	chocolat râpé en copeaux épais

GLAÇAGE

100 g	chocolat mi-amer
2 c. à s.	beurre
2 c. à s.	eau

• Préchauffer le four à 190 °C.

• Dans une casserole, faire fondre le chocolat et le beurre.

• Dans un bol, battre les jaunes d'œufs avec 100 g de sucre semoule pour les blanchir. Incorporer le mélange au chocolat et la farine; bien mélanger.

• Dans un autre bol, battre en neige ferme les blancs d'œufs avec le reste du sucre semoule. Ajouter au mélange au chocolat en soulevant doucement.

• Verser dans un moule à fond amovible de 22 cm de diamètre, graissé et fariné. Enfourner et faire cuire 35 à 40 minutes.

• Pour préparer le glaçage, au bain-marie, faire fondre le chocolat avec le beurre et l'eau; bien mélanger.

• Démouler le gâteau, puis le garnir de glaçage et de copeaux de chocolat râpé.

POIRES DE CHARENTE

●

4 PORTIONS

2	poires, bien mûres
50 g	cassonade
2 c. à s.	sucre semoule
1 c. à s.	épaississant pour sauces blanches
1,25 dl	eau
1 c. à c.	beurre
1 c. à c.	cognac
25 g	noix de Grenoble hachées

• Peler les poires, en conservant la queue. Couper les poires en deux dans le sens de la hauteur, retirer le cœur. Disposer les moitiés de poire dans quatre petites assiettes, la partie creuse en dessous ou les trancher finement jusqu'à 1 cm de la queue et disposer en éventail.

• Dans une casserole, mélanger la cassonade, le sucre semoule et l'épaississant pour sauces; ajouter l'eau. Faire cuire à découvert, à feu moyen et en remuant, 1½ minute.

• Ajouter le beurre et le cognac; mélanger.

• Verser le sirop sur les poires. Parsemer de noix de Grenoble, garnir de cerises au marasquin, si désiré, et servir.

●

CONSEIL

Remplacez les poires par des pommes ou encore par des ananas.

CLAFOUTIS AUX PÊCHES, PARFUMÉ AU CITRON

8 PORTIONS

4	pêches mûres, pelées et égouttées, *ou en conserve*
150 g	sucre semoule
4	œufs
1,25 dl	lait
35 g	farine
1	pincée de sel
275 g	yaourt
1 c. à s.	beurre fondu
	zeste de 1 citron râpé

• Préchauffer le four à 190 °C.

• Couper les pêches en fines tranches et en couvrir le fond d'une tourtière bien beurrée. Parsemer de zeste de citron et de 2 c. à s. de sucre semoule.

• Au robot ménager, mélanger pendant 1 minute les œufs, le lait, la farine, le reste du sucre semoule et le sel. Incorporer le yaourt et le beurre fondu, mélanger quelques secondes et verser sur les pêches.

• Enfourner et faire cuire environ 50 minutes, ou jusqu'à ce que le clafoutis soit doré et bien gonflé.

SORBET RAFRAÎCHISSANT
AU MELON

●

4 PORTIONS

___

1,25 dl	jus de raisin blanc non sucré
50 g	sucre semoule
½ c. à c.	zeste de citron râpé
1 c. à s.	jus de citron
1 c. à s.	morceau de gingembre coupé en fines lamelles
150 g	melon d'hiver pelé, épépiné et coupé en dés
	raisins verts, coupés en deux
	petites feuilles de menthe (facultatif)

___

• Dans une casserole, mélanger le jus de raisin, le sucre semoule, le zeste et le jus de citron et le gingembre. Porter à ébullition, puis laisser mijoter 5 minutes. Retirer le gingembre; réserver le sirop.

• Au robot ménager, réduire en purée le melon d'hiver. Ajouter le sirop de raisin réservé et mélanger. Verser dans un plat peu profond et faire prendre fermement au congélateur.

• Défaire la préparation avec une fourchette et la mélanger de nouveau au robot ménager jusqu'à ce qu'elle soit lisse et épaisse. Verser dans un contenant hermétique et mettre au congélateur au moins 4 heures.

• Servir dans des coupes à sorbet et garnir de raisins verts et d'une petite feuille de menthe.

●

Le melon d'hiver est une bonne source de potassium et de vitamine C, mais contrairement au cantaloup, il contient très peu de bêta-carotène.

PRÉPARATION ET CUISSON D'UN GÂTEAU

Préchauffer le four à 180 °C; graisser et fariner un moule à savarin.

Dans un bol, mélanger tous les ingrédients secs (farine, levure chimique, bicarbonate de soude et sel). Pour les gâteaux contenant des fruits ou des noix, les ajouter à ce mélange.

Au robot ménager, mélanger le beurre, les œufs et le sucre semoule.

En alternant, ajouter la moitié des ingrédients secs, puis le liquide.

Verser dans le moule à savarin, enfourner et faire cuire 30 minutes ou jusqu'à ce que la pointe d'un couteau enfoncé au milieu en ressorte propre.

GÂTEAU À L'ORANGE EN COURONNE

●

12 PORTIONS

―――――

125 g	beurre
100 g	sucre semoule
1 c. à s.	zeste d'orange râpé
3	jaunes d'œufs
135 g	yaourt nature
1 c. à c.	extrait de vanille
250 g	farine
2 c. à c.	levure chimique
2 c. à c.	bicarbonate de soude
½ dl	jus d'orange non sucré
2 c. à s.	jus de citron
3	blancs d'œufs
1	pincée de sel

―――――

• Préchauffer le four à 180 °C.

• Graisser et fariner un moule à savarin.

• Au robot ménager, battre en un mélange léger le beurre, le sucre semoule, le zeste d'orange et les jaunes d'œufs. Ajouter le yaourt et la vanille.

• Dans un bol, mélanger les ingrédients secs.

• Dans un autre bol, mélanger les jus d'orange et de citron.

• En alternant avec les jus d'orange et de citron, incorporer au mélange aux jaunes d'œufs la farine, la levure chimique et le bicarbonate de soude. Réserver.

• Monter en neige ferme les blancs d'œufs avec le sel, puis incorporer délicatement au premier mélange en pliant.

• Verser dans le moule, enfourner et faire cuire 35 à 40 minutes ou jusqu'à ce qu'un cure-dents enfoncé au milieu en ressorte propre.

●

TARTE aux FRUITS

●

8 PORTIONS

---

pâte feuilletée

CRÈME

½ litre	lait
100 g	sucre semoule
1 c. à c.	extrait de vanille
3 c. à s.	fécule de maïs
3 c. à s.	eau

GARNITURE

3	kiwis, tranchés
300 g	mandarines en segments en conserve
	framboises
	myrtilles

• *Pour préparer la crème*, dans une casserole, faire chauffer le lait avec le sucre semoule et la vanille.

• Délayer la fécule de maïs dans l'eau et l'incorporer au contenu de la casserole en remuant constamment, jusqu'à ce que la préparation épaississe. Laisser refroidir.

• *Pour préparer la pâte*, abaisser la pâte feuilletée pour obtenir un cercle ou une forme ovale d'un diamètre de 30 cm. Pratiquer une incision circulaire en surface seulement, à 5 cm du bord pour empêcher la pâte de lever au milieu. Déposer sur une tôle et laisser reposer 1 heure au réfrigérateur.

• Préchauffer le four à 180 °C.

• Faire cuire le fond de tarte au four 20 minutes ou jusqu'à ce qu'il soit doré.

• Sortir le fond de tarte du four et laisser refroidir. Garnir le milieu de crème, puis de fruits.

●

1

Préparer la crème.

2

Abaisser la pâte feuilletée. Pratiquer une incision circulaire en surface.

3

Faire cuire au four et laisser refroidir.

4

Garnir le milieu de crème, puis de fruits.

MOUSSE au CHOCOLAT, À la LIQUEUR d'ORANGE

●

4 PORTIONS

1	boîte de préparation pour pudding instantané au chocolat
3,75 dl	lait froid
2 c. à s.	liqueur d'orange
½ dl	crème fraîche épaisse
40 g	amandes effilées
	yaourt nature
	noix de coco non sucrée, râpée

• Préparer le pudding au chocolat selon les indications sur la boîte, en utilisant le lait froid et la liqueur d'orange. Réfrigérer 5 minutes.

• Au batteur électrique, fouetter la crème jusqu'à ce qu'elle soit ferme et l'incorporer délicatement au pudding avec une spatule. Ajouter les amandes.

• Verser dans des coupes individuelles. Réfrigérer jusqu'au service. Garnir d'une touche de yaourt nature et de noix de coco râpée.

●

CONSEIL

Utilisez cette mousse au chocolat pour garnir des tartelettes.

RENVERSÉ AUX POIRES ET AUX AVELINES

●

4 PORTIONS

8	blancs d'œufs
100 g	sucre semoule
1 c. à c.	extrait de vanille
150 g	farine
20 g	cacao en poudre
½ c. à c.	levure chimique
2 c. à s.	lait chaud
6	demi-poires en conserve, égouttées et coupées en fines lamelles dans le sens de la longueur
60 g	noisettes blanches hachées
50 g	cassonade

• Préchauffer le four à 200 °C. Graisser un moule rond de 22 cm de diamètre. Couvrir le fond du moule d'une feuille de papier sulfurisé.

• Dans un bol, au batteur électrique, fouetter les blancs d'œufs jusqu'à ce qu'ils soient mousseux. Sans cesser de battre, ajouter le sucre semoule graduellement. Parfumer à la vanille.

• Dans un autre bol, tamiser la farine, le cacao et la levure chimique. En remuant, ajouter ce mélange sec aux blancs d'œufs en alternant avec le lait.

• Garnir le fond du moule de tranches de poire, en les serrant bien les unes contre les autres pour ne pas laisser d'espace libre. Mélanger les noisettes et la cassonade, presser ce mélange sur les poires. Couvrir ensuite de la pâte à gâteau.

• Enfourner et faire cuire 20 minutes. Sortir le gâteau du four et le démouler pendant qu'il est encore chaud.

●

CONSEIL

Accompagnez ce dessert d'un coulis léger ou d'une sauce aux fruits non sucrée.

GÂTEAU À LA NOIX DE COCO ET AUX ANANAS

12 À 14 PORTIONS

150 g	farine
90 g	gruau à cuisson rapide, réduit en poudre fine
1 c. à c.	bicarbonate de soude
1 c. à c.	levure chimique
¼ c. à c.	sel
2 c. à c.	cannelle en poudre
1 c. à c.	muscade en poudre
1,75 dl	huile de maïs
130 g	cassonade blonde bien tassée
4	œufs
1 c. à s.	extrait de vanille
125 g	carottes râpées
30 g	noix de coco non sucrée râpée
350 g	ananas frais *ou* en conserve broyé et égoutté
60 g	noix hachées (facultatif)

• Préchauffer le four à 180 °C. Graisser et fariner un moule à savarin.

• Dans un grand bol, mélanger la farine, le gruau, le bicarbonate de soude, la levure chimique, le sel, la cannelle et la muscade. Réserver.

• Au robot ménager, mélanger l'huile, la cassonade, les œufs et l'extrait de vanille. Petit à petit, incorporer le mélange sec, les carottes, la noix de coco, l'ananas et les noix hachées.

• Verser ce mélange dans le moule, enfourner et faire cuire 55 à 60 minutes.

• Sortir du four et laisser refroidir environ 10 minutes avant de démouler.

POMMES CHAUDES AU GINGEMBRE EN PAPILLOTE

●

4 PORTIONS

2	prunes *ou* abricots séchés *ou* frais, tranchés
2	poires, pelées, évidées, *ou* en conserve dans un sirop léger, égouttées et coupées en dés
35 g	raisins secs de Corinthe
1 c. à s.	racine de gingembre pelée et hachée finement
½ c. à c.	extrait de vanille
2 c. à s.	sucre glace
1 c. à s.	fécule de maïs
1 c. à c.	zeste de citron *ou* d'orange râpé
2	pommes vertes, pelées, coupées en deux et évidées
2 c. à s.	jus de citron
2 c. à s.	miel liquide (facultatif)
4	cercles de papier (sulfurisé, à pâtisserie *ou* d'aluminium)
	yaourt à la vanille
	feuilles de menthe

• Préchauffer le four à 200 °C.

• Dans un bol, mélanger les prunes, les poires, les raisins secs, le gingembre et l'extrait de vanille. Ajouter le sucre glace et la fécule de maïs. Bien mélanger et ajouter le zeste de citron.

• Au centre de chaque cercle de papier, répartir le mélange aux fruits, puis y déposer une demi-pomme. Verser un peu de jus de citron et du miel liquide sur chacune des demi-pommes. Refermer hermétiquement les papillotes, enfourner et faire cuire 15 à 20 minutes.

• Sortir les papillotes du four, les ouvrir, ajouter une touche de yaourt à la vanille, décorer de feuilles de menthe et servir.

●

DÉLICES AUX ABRICOTS

•

6 PORTIONS

---

275 g	abricots secs lavés
40 g	amandes blanchies coupées en petits morceaux
275 g	yaourt nature
3 c. à s.	sucre semoule
1 c. à s.	liqueur d'orange *ou* Grand Marnier (facultatif)
2 c. à s.	amandes grillées hachées

• Mettre les abricots dans une casserole et les couvrir d'eau. Porter à ébullition, baisser le feu et faire pocher doucement 30 minutes. Égoutter et réserver.

• Au robot ménager, réduire les abricots en une purée lisse.

• Incorporer les amandes et broyer grossièrement. Réserver.

• Dans un bol, mélanger le yaourt, le sucre semoule et la liqueur d'orange.

• Déposer à la cuillère la purée d'abricots dans un plat de présentation. Garnir de la préparation à base de yaourt et d'amandes grillées. Servir froid.

•

GÂTEAU AU CHOCOLAT ET À L'ORANGE

●

8 À 10 PORTIONS

90 g	chocolat amer
1,25 dl	lait
110 g	sucre semoule
125 g	beurre
80 g	cassonade
3	œufs, battus
½ dl	jus d'orange non sucré
2 c. à s.	zeste d'orange râpé
250 g	farine
½ c. à c.	sel
2 c. à c.	levure chimique
¾ c. à c.	bicarbonate de soude

CRÈME PÂTISSIÈRE

½ litre	lait
½ dl	jus d'orange
2	jaunes d'œufs
100 g	sucre semoule
2 c. à s.	fécule de maïs
	zeste de 1 orange, râpé

● Préchauffer le four à 180 °C. Graisser et fariner un moule carré de 20 cm de côté.

● Dans une casserole, mélanger le chocolat, le lait et le sucre semoule. Faire chauffer à feu doux, en remuant jusqu'à ce que le chocolat soit fondu. Laisser refroidir.

● Dans un bol, bien défaire le beurre en crème. Ajouter la cassonade et bien battre. Incorporer les œufs battus. Ajouter le jus et le zeste d'orange. Bien mélanger.

● Tamiser la farine, le sel, la levure chimique et le bicarbonate de soude. Ajouter au mélange au chocolat, en alternant avec le mélange aux œufs. Remuer juste assez pour que les ingrédients soient bien mélangés. Verser dans le moule, enfourner et faire cuire 45 à 50 minutes.

● *Pour préparer la crème pâtissière*, dans une casserole, faire chauffer le lait, le jus de d'orange et le zeste d'orange. Réserver.

● Dans un bol, au fouet, blanchir les jaunes d'œufs et le sucre semoule. Sans cesser de fouetter, verser le mélange chaud sur les jaunes d'œufs. Remettre dans la casserole et faire cuire quelques minutes, à feu doux. Lier à la fécule de maïs. Retirer du feu et laisser refroidir.

● Sortir le gâteau du four et laisser reposer 15 minutes avant de le démouler. Couper en deux dans le sens de l'épaisseur, garnir une des moitiés de crème pâtissière à l'orange et couvrir de l'autre moitié.

●

CARRÉS AUX FRUITS

10 À 12 PORTIONS

180 g	farine
1½ c. à c.	levure chimique
50 g	sucre semoule
50 g	beurre
1	œuf, battu
½ dl	lait
1 c. à c.	extrait de vanille
3	prunes, pelées, dénoyautées et tranchées
2	pêches *ou* poires, le cœur retiré, pelées et tranchées
1	pomme verte, évidée et coupée en tranches minces
170 g	raisins sans pépin

GARNITURE

½ dl	sirop de maïs
1 c. à c.	cannelle en poudre
½ dl	beurre fondu
90 g	gelée de framboises, d'abricots *ou* autre

• Préchauffer le four à 200 °C. Graisser légèrement un grand moule rectangulaire.

• Au robot ménager, mélanger la farine, la levure chimique, le sucre semoule et le beurre. Y incorporer l'œuf battu, le lait et l'extrait de vanille et mélanger jusqu'à l'obtention d'une consistance lisse.

• Foncer le moule avec la pâte, puis y disposer, en rangs parallèles, les tranches de prune, de pêche et de pomme, en les faisant se chevaucher légèrement. Disposer les raisins en rangs, entre les rangées de fruits.

• Mélanger le sirop de maïs, la cannelle et le beurre fondu. Verser sur les fruits. Enfourner et faire cuire 35 minutes, ou jusqu'à ce que les fruits soient tendres.

• Mélanger la gelée de framboises avec 1 c. à s. d'eau chaude et en badigeonner les fruits. Couper en rectangles et servir chaud.

GÂTEAU au FROMAGE, SAUCE à la RHUBARBE et aux FRAISES

●

4 PORTIONS

CROÛTE

125 g	chapelure de biscuits
2 c. à s.	amandes *ou* noisettes moulues
50 g	beurre
1 c. à s.	cassonade

GARNITURE

¼ litre	jus de pomme
2	sachets de gélatine sans saveur
650 g	fromage blanc épais
2	bananes
50 g	sucre semoule

SAUCE

260 g	rhubarbe hachée
175 g	fraises coupées en tranches
150 g	sucre semoule
2 c. à s.	liqueur d'orange (facultatif)
2 c. à s.	fécule de maïs

DÉCORATION

50 g	noix de coco non sucrée râpée et grillée
	zeste de citron *ou* de citron vert
	fraises coupées en tranches

• Au robot ménager, mélanger tous les ingrédients de la croûte. Avec les doigts, en tapisser un moule à fond amovible d'environ 22 cm de diamètre.

• Dans un bol, verser ½ dl de jus de pomme. Y saupoudrer la gélatine et laisser gonfler 5 minutes. Faire réchauffer doucement au bain-marie jusqu'à ce que la gélatine soit dissoute. Retirer du feu et réserver.

• Au robot ménager, mélanger le fromage blanc épais, les bananes, le sucre semoule et le reste du jus de pomme jusqu'à l'obtention d'une texture onctueuse. Ajouter la gélatine, remuer, puis verser sur la croûte. Réfrigérer 3 à 4 heures, ou jusqu'à ce que le mélange soit pris.

• Dans une casserole, mélanger la rhubarbe, les fraises, le sucre semoule et la liqueur d'orange. Porter à ébullition à feu moyen-vif. Baisser le feu et laisser mijoter 5 minutes environ. Lier avec la fécule de maïs préalablement délayée dans un peu d'eau froide. Bien mélanger.

• Démouler le gâteau, napper de sauce et parsemer de noix de coco. Garnir de zeste de citron et de fraises, si désiré.

●

COURONNE FROIDE AU CAFÉ

—•—

8 PORTIONS

———

4,25 dl	café fort refroidi
1,25 dl	crème fleurette
100 g	sucre semoule
2	sachets de gélatine en poudre, sans saveur
3	jaunes d'œufs
½ c. à c.	extrait de vanille
¼ c. à c.	sel
3	blancs d'œufs

———

• Placer un moule à savarin au congélateur.

• Dans un bol, mélanger le café, la crème, la moitié du sucre semoule et la gélatine et faire chauffer au bain-marie, à feu doux.

• Dans un autre bol, battre légèrement les jaunes d'œufs. Ajouter le reste du sucre semoule, l'extrait de vanille et le sel. Verser le mélange au café sur cette préparation.

• Remettre au bain-marie 8 à 10 minutes en remuant continuellement, jusqu'à l'obtention d'une sauce épaisse qui masque le dos de la cuillère. Retirer du feu et laisser refroidir.

• Monter les blancs d'œufs en neige ferme. Incorporer au mélange refroidi à l'aide d'une spatule. Verser dans le moule glacé. Réfrigérer quelques heures avant de servir.

• Démouler et trancher. Servir sur des assiettes refroidies.

—•—

CONSEIL

Servez ce dessert

avec un coulis

de fruits.

POMMES PROVENÇALES

●

4 PORTIONS

4	pommes bien fermes
200 g	sucre semoule
½ litre	eau
1 c. à c.	graines d'anis
3 c. à s.	liqueur *ou* sirop d'anis *ou* 1 c. à c. d'extrait d'anis (facultatif)
	eau froide
	jus de citron

• Peler les pommes, les couper en quartiers et en retirer le cœur. Plonger les quartiers de pomme dans de l'eau froide additionnée de jus de citron, pour les empêcher de brunir.

• Dans une casserole, mélanger le sucre semoule, l'eau et les graines d'anis. Porter à ébullition en remuant constamment, jusqu'à la dissolution du sucre semoule. Baisser le feu et laisser mijoter 5 minutes.

• Égoutter les pommes et les déposer dans le sirop. Augmenter le feu pour faire frémir la préparation, puis le baisser. Couvrir et laisser mijoter 10 minutes (ne pas faire bouillir, ni trop cuire).

• Retirer les pommes du sirop et les déposer dans des assiettes individuelles; réserver. Porter le sirop à forte ébullition et laisser bouillir, à découvert, jusqu'à ce qu'il soit bien sirupeux. Écumer. Ajouter la liqueur d'anis et verser le sirop sur les pommes.

●

> ## CONSEIL
>
> *Préparez votre gâteau 24 heures à l'avance pour qu'il soit plus facile à trancher.*

COUPELLE D'ORANGE SANGUINE ET SON PARFAIT

●

4 PORTIONS

———

PARFAIT

2	jaunes d'œufs
65 g	sucre semoule
¼ litre	crème fraîche épaisse
2	blancs d'œufs
	jus de 2 oranges sanguines
	zeste de 1 orange, râpé

COUPELLES

3	feuilles de pâte filo
3 c. à s.	beurre fondu
	feuilles de menthe

SIROP

3	oranges sanguines détaillées en quartiers pelés à vif
½ c. à c.	eau de fleur d'oranger
½ dl	miel
1 c. à s.	fécule de maïs diluée dans 2 c. à s. d'eau
	jus de 3 oranges

———

• *Pour préparer le parfait*, dans un bol, bien fouetter les jaunes d'œufs avec 50 g de sucre. Ajouter le jus et le zeste d'orange. Réserver.

• Fouetter la crème et l'incorporer au premier mélange.

• Monter les blancs d'œufs en neige ferme avec 1 c. à s. de sucre et les incorporer au mélange en pliant.

• Verser dans des ramequins et faire congeler un minimum de 3 heures.

• Préchauffer le four à 180 °C.

• Superposer les 3 feuilles de pâte filo et y tailler 4 cercles de 18 cm de diamètre. Badigeonner de beurre fondu et déposer dans des moules à darioles. Enfourner et faire cuire 5 minutes.

• *Pour préparer le sirop*, dans une casserole, faire chauffer le jus de 3 oranges, l'eau de fleur d'oranger et le miel. Lier à la fécule de maïs.

• Retirer du feu et incorporer les quartiers d'oranges. Laisser refroidir.

• Dresser une coupelle sur une assiette. Démouler un parfait et le placer au centre de la coupelle.

• Arroser de sirop, garnir de feuilles de menthe et servir.

●

GÂTEAU ALLA NAPOLETANA

6 PORTIONS

PASTA FROLLA

280 g	farine tamisée
1	pincée de sel
3 c. à s.	sucre semoule
60 g	beurre ramolli
2	jaunes d'œufs
	zeste de ½ citron, râpé finement

GARNITURE

350 g	ricotta *ou* fromage blanc épais
2 c. à s.	sucre glace
3	œufs, battus
50 g	amandes mondées, broyées finement
90 g	fruits confits, coupés finement
¼ c. à c.	extrait de vanille
	zeste de ½ citron, râpé finement
	zeste de ½ orange, râpé finement

• Au robot ménager, mélanger la farine, le sel, le sucre semoule et le zeste de citron. Incorporer progressivement le beurre, puis les jaunes d'œufs, un à un. Mélanger jusqu'à l'obtention d'une pâte homogène.

• Couvrir la pâte et réfrigérer 1 heure environ.

• *Pour préparer la garniture*, au robot ménager, mélanger le fromage et le sucre glace. À basse vitesse, incorporer les œufs, un à un, puis tous les autres ingrédients. Réserver.

• Préchauffer le four à 180 °C. Graisser et fariner une tourtière.

• Abaisser la pâte et en garnir la tourtière.

• Répartir uniformément la garniture sur la pâte.

• Enfourner et faire cuire 45 minutes. Laisser refroidir sur une grille avant de servir.

MOUSSE AUX KIWIS

·

6 PORTIONS

1,25 dl	eau froide
2	sachets de gélatine, sans saveur
500 g	kiwis en purée
100 g	sucre semoule
190 g	yaourt nature
½ c. à c.	zeste d'orange râpé
4	blancs d'œufs
	tranches de kiwi (garniture)

• Dans une petite casserole, verser l'eau froide. Y saupoudrer la gélatine; laisser gonfler 5 minutes. Faire chauffer à feu doux, jusqu'à ce que la gélatine soit dissoute. Réserver.

• Dans une autre casserole, faire chauffer à feu doux la purée de kiwi avec la moitié du sucre semoule, 5 minutes.

• Dans un bol, bien mélanger la préparation aux kiwis, le yaourt, le zeste d'orange et le mélange à la gélatine.

• Réfrigérer jusqu'à ce que le mélange prenne légèrement.

• Dans un grand bol, monter en neige légère les blancs d'œufs. Ajouter graduellement le reste du sucre semoule en continuant de battre jusqu'à l'obtention de pics fermes.

• En continuant de fouetter, ajouter le quart des blancs d'œufs battus au mélange aux kiwis. À l'aide d'une spatule, incorporer le reste des blancs d'œufs. Verser dans des ramequins ou dans un grand moule.

• Couvrir et réfrigérer au moins 1 heure. Garnir de tranches de kiwi avant de servir.

Le kiwi est riche en vitamine C. Sa peau, fine et légèrement duveteuse, est comestible.

·

STRUDEL aux POMMES ET À LA CANNELLE

●

6 PORTIONS

———

PÂTE

300 g	farine
1	œuf à la température ambiante
1 c. à s.	sucre semoule
1	pincée de sel
2 c. à s.	beurre ramolli
½ dl	eau tiède
	beurre fondu

GARNITURE

35 g	raisins secs
675 g	pommes pelées, évidées, coupées en quartiers
3 c. à s.	beurre
3 c. à s.	chapelure
70 g	sucre semoule
1 c. à s.	cannelle en poudre
	jus de ½ citron
	sucre glace

———

• *Pour préparer la pâte*, au robot ménager, mélanger la farine, l'œuf, le sucre semoule, le sel, le beurre ramolli et la moitié de l'eau tiède pour former une pâte molle. Ajouter de l'eau tiède si nécessaire. Façonner la pâte en boule et badigeonner de beurre fondu. Couvrir d'un linge et laisser reposer ½ heure à la température ambiante.

• *Pour préparer la garnitur*e, mettre les raisins secs dans un bol et les couvrir d'eau. Laisser tremper 20 minutes. Bien égoutter et réserver. Parfumer les pommes au jus de citron. Réserver.

• Faire fondre le beurre dans une poêle. À feu moyen, y faire griller la chapelure quelques minutes. Réserver.

• Abaisser la pâte selon la technique de la page 413; la badigeonner de beurre fondu si elle est trop sèche.

(Suite à la page suivante)

• Préchauffer le four à 180 ° C.

• Mélanger les pommes, les raisins secs, la chapelure, le sucre semoule et la cannelle. Disposer en un ruban sur le bord de la pâte. Avec précaution, rouler la pâte sur elle-même, en enfermant la garniture. Fermer les extrémités en les pressant.

• Faire glisser le strudel sur une tôle graissée. Badigeonner de beurre fondu, enfourner et faire cuire 50 à 60 minutes.

• Dresser dans un plat de présentation et saupoudrer de sucre glace. Servir chaud ou froid.

PRÉPARATION DE LA PÂTE AU ROBOT MÉNAGER

Mélanger les ingrédients de la pâte au robot ménager.

Façonner la pâte en boule; badigeonner de beurre fondu.

Couvrir d'un linge et laisser reposer.

Pour abaisser la pâte, mettre une feuille de pellicule plastique sur la table de travail, déposer la pâte dessus, recouvrir d'une autre feuille de pellicule plastique et abaisser.

YAOURT AU CANTALOUP

●

4 PORTIONS

2	cantaloups, coupés en deux et épépinés
½ dl	jus de citron *ou* de citron vert
550 g	yaourt nature *ou* à la vanille
3 c. à s	sucre semoule

• Mettre la chair des cantaloups dans le bol du robot ménager.

• Ajouter le jus de citron, le yaourt et le sucre semoule.

• Mélanger jusqu'à l'obtention d'une consistance lisse.

• Verser dans 4 grands verres et servir.

●

Le cantaloup est une excellente source de vitamines A et C. Plus un fruit ou un légume est foncé, plus il est riche en vitamines et en minéraux.

GÂTEAU AUX POIRES

●

10 PORTIONS

―――

600 g	farine
1 c. à s.	levure chimique
150 g	sucre semoule
275 g	yaourt nature
5 c. à s.	huile de maïs
4	œufs, battus
425 g	poires en conserve, avec leur jus, coupées en quartiers
½ dl	lait
	zeste de ½ citron, râpé

―――

• Préchauffer le four à 180 °C. Graisser un moule à gâteau d'environ 20 cm de diamètre.

• Mélanger et tamiser la farine et la levure chimique.

• Déposer ce mélange dans un bol, creuser un puits au centre et y ajouter le sucre semoule, le yaourt, l'huile, le zeste de citron, les œufs battus, le jus des poires et le lait. Bien mélanger jusqu'à l'obtention d'une pâte lisse.

• Verser dans le moule à gâteau; garnir la surface avec les poires.

• Placer le moule au milieu du four, et faire cuire 45 minutes.

• Sortir du four et démouler immédiatement. Servir tiède ou froid.

●

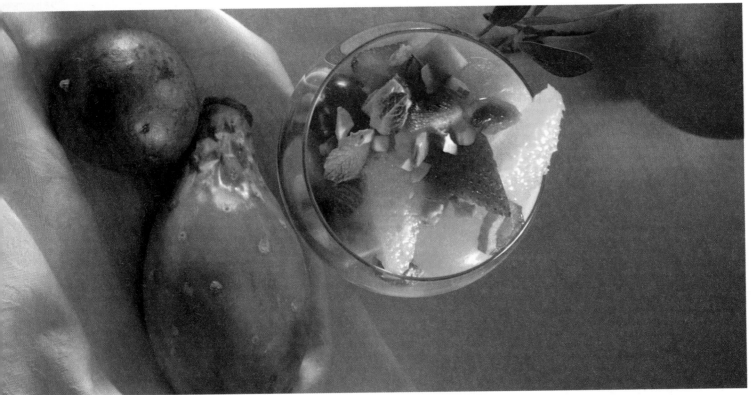

COUPE DE FRUITS EXTRA

4 PORTIONS

2	grosses oranges, détaillées en quartiers pelés à vif
1	pomme verte, non pelée, coupée en dés
½	cantaloup, coupé en dés *ou* en boules
15	raisins, coupés en deux
1	kiwi, pelé et coupé en petits morceaux
6	fraises, tranchées
6	dattes séchées, coupées en petits morceaux (facultatif)
½ litre	jus d'orange non sucré
1,25 dl	jus de pomme non sucré
2 c. à s.	brandy

GARNITURE
noix de Grenoble, hachées (facultatif)
feuilles de menthe

• Dans un bol, bien mélanger tous les ingrédients, sauf ceux de la garniture.

• Réfrigérer 2 à 3 heures.

• Juste avant de servir, garnir de noix de Grenoble hachées et de feuilles de menthe.

GÂTEAU AU FROMAGE À L'AMARETTO

●

10 À 12 PORTIONS

———

CROÛTE

150 g	amandes blanchies
90 g	gaufrettes à la vanille émiettées
5 c. à s.	beurre fondu

GARNITURE

½ dl	eau
1 ½	sachet de gélatine, sans saveur
3	jaunes d'œufs
150 g	sucre semoule
450 g	fromage blanc épais
¼ c. à c.	extrait d'amande
3 c. à s.	amaretto
¼ litre	lait, chaud
½ litre	crème fraîche épaisse
3	blancs d'œufs
30 g	amandes grillées

———

• *Pour préparer la croûte*, au robot ménager, hacher grossièrement les amandes blanchies. Ajouter les gaufrettes et réduire en fine chapelure. Incorporer le beurre; bien mélanger.

• Tapisser de cette préparation un moule à fond amovible de 24 cm de diamètre; faire déborder légèrement sur les bords. Réfrigérer.

• *Pour préparer la garniture*, dans un bol, verser l'eau. Y saupoudrer la gélatine; laisser gonfler 5 minutes.

• Au robot ménager, bien mélanger les jaunes d'œufs, le sucre, le fromage, l'extrait d'amande et l'amaretto. Ajouter le lait et la gélatine. Mélanger de nouveau.

• Faire cuire au bain-marie, à feu doux, jusqu'à ce que le mélange épaississe. Réserver au frais 10 minutes environ.

• Fouetter la crème; réserver.

• Monter les blancs d'œufs en neige ferme. À la spatule, incorporer graduellement les blancs d'œufs aux ⅔ de la crème fouettée. Y incorporer ensuite délicatement la préparation aux jaunes d'œufs. Verser dans la croûte et réfrigérer.

• À l'aide d'une cuillère ou une poche à douille, garnir le gâteau avec le reste de la crème fouettée et les amandes grillées.

●

PÊCHES MELBA

●

4 PORTIONS

¼ litre	eau bouillante
50 g	sucre semoule
1 c. à s.	cognac
8	demi-pêches, en conserve dans un sirop léger, égouttées
75 g	framboises surgelées sans sucre, égouttées
½ litre	lait glacé à la vanille
3 c. à s.	amandes grillées

• Dans une casserole, verser l'eau bouillante. Y faire dissoudre 2 c. à s. de sucre semoule. Ajouter le cognac.

• Déposer les demi-pêches dans la casserole et les faire pocher 3 minutes, à feu doux. Retirer du feu. Laisser refroidir et égoutter.

• Au robot ménager, réduire les framboises en purée. Ajouter le reste du sucre semoule. Verser la préparation dans la casserole et faire cuire à feu doux, 3 minutes. Laisser refroidir.

• Répartir le lait glacé dans 4 coupes, y déposer deux demi-pêches, napper de coulis de framboises et garnir d'amandes grillées.

●

MIROIR AUX FRUITS

●

8 PORTIONS

―――――

8,75 dl	jus d'airelle non sucré
180 g	poudre pour gelée au citron
180 g	pêches *ou* nectarines pelées et tranchées
75 g	bleuets *ou* fraises
85 g	raisins verts sans pépins
40 g	amandes effilées

―――――

• Graisser légèrement un moule de 1,5 litre. Réserver.

• Dans une casserole, porter à ébullition 3,75 dl de jus d'airelle.

• Faire dissoudre la poudre pour gelée dans le jus chaud.

• Ajouter le reste du jus d'airelle. Réfrigérer jusqu'à ce que le mélange épaississe légèrement.

• Incorporer les fruits et les amandes à la gelée épaissie. Verser dans le moule. Réfrigérer 3 à 4 heures. Démouler sur une assiette.

●

CONSEIL

Remplacez les fruits frais par des fruits surgelés ou en conserve. Égouttez bien les fruits en conserve avant de les utiliser.

TARTE AU BEURRE ÉCOSSAIS

6 PORTIONS

PÂTE À TARTE

300 g	farine
1	pincée de sel
2 c. à s.	noisettes en poudre
250 g	beurre
1	œuf
1,25 dl	eau glacée
1 c. à c.	vinaigre blanc

BEURRE ÉCOSSAIS

1,75 dl	eau tiède
1,25 dl	lait concentré
375 g	cassonade blonde
2	œufs
85 g	farine
3 c. à s.	beurre ramolli
1 c. à c.	extrait de vanille blanche

• *Pour préparer la pâte,* au robot ménager, mélanger la farine, le sel et les noisettes en poudre. Ajouter le beurre coupé en morceaux.

• Dans un bol, mélanger l'œuf, l'eau et le vinaigre. Mélanger aux ingrédients secs jusqu'à ce que la préparation s'amalgame.

• Sur un plan de travail légèrement fariné, façonner la pâte en boule. Couvrir d'une pellicule plastique et réfrigérer au moins 1 heure.

• Préchauffer le four à 190 °C. Abaisser la pâte et en foncer le moule à tarte.

• *Pour préparer le beurre écossais,* dans une casserole, faire chauffer doucement l'eau et le lait concentré. Ajouter la cassonade et faire fondre tout en remuant. Réserver.

• Au robot ménager, faire mousser les œufs. Ajouter la farine progressivement, puis le beurre ramolli. Incorporer le premier mélange et parfumer à la vanille. Bien remuer. Verser dans l'abaisse. Enfourner et faire cuire 40 minutes environ, ou jusqu'à ce que mélange soit ferme.

CRÈME RENVERSÉE AU CARAMEL

●

10 PORTIONS

CARAMEL

| 200 g | sucre semoule |

CRÈME

½ litre	lait
1	pincée de sel
½ c. à c.	extrait de vanille
4	œufs entiers
3 c. à s.	sucre semoule

• *Pour préparer le caramel*, dans une casserole, faire cuire le sucre semoule à peine humecté d'eau à feu doux, sans remuer, jusqu'à ce qu'il commence à caraméliser.

• Contrôler la coloration en laissant tomber quelques gouttes de caramel sur une cuillère : le caramel doit être de couleur cuivre.

• Verser le caramel dans des ramequins. Réserver.

• Préchauffer le four à 180 °C.

• *Pour préparer la crème*, dans une casserole, porter à ébullition le lait, le sel et l'extrait de vanille. Réserver.

• Dans un bol, mélanger les œufs et le sucre semoule, sans faire mousser. Incorporer graduellement le lait chaud, en remuant sans cesse.

• Répartir le mélange entre les ramequins caramélisés.

• Couvrir le fond d'une lèchefrite d'une feuille de papier sulfurisé ou d'un torchon et y déposer les ramequins.

• Verser de l'eau chaude dans la lèchefrite jusqu'à mi-hauteur des ramequins.

• Enfourner et faire cuire au bain-marie 45 minutes. Surveiller la cuisson; l'eau ne doit pas bouillir et le dessus de la crème ne doit pas se colorer.

• La crème est cuite lorsque le mélange est ferme. Laisser bien refroidir et démouler sur une assiette.

●

TIRAMISÙ

6 PORTIONS

6	blancs d'œufs
200 g	sucre semoule
6	jaunes d'œufs
450 g	mascarpone
½ dl	crème fraîche épaisse
3 c. à s.	kirsch, rhum *ou* cognac
3 dl	café fort, refroidi
25	doigts de dame
1 c. à s.	cacao en poudre

• Monter les blancs d'œufs en neige. Réserver.

• Fouetter ensemble 70 g de sucre semoule et les jaunes d'œufs.

• En remuant avec une cuillère de bois, incorporer le mascarpone, les blancs d'œufs montés en neige, la crème et le kirsch, jusqu'à l'obtention d'une pâte crémeuse et homogène. Réserver.

• Diluer le reste de sucre semoule dans le café. Tremper rapidement les doigts de dame dans le café sucré et en tapisser le fond d'un plat de verre rectangulaire, en les plaçant côte à côte.

• Couvrir d'une couche de crème. Répéter ces deux couches en terminant par une couche de crème.

• Couvrir le plat et réfrigérer quelques heures.

• Juste avant de servir, saupoudrer de cacao.

CONSEIL

Préparez ce gâteau
un ou deux jours
à l'avance.

ANANAS en FOLIE

●

4 À 6 PORTIONS

1	ananas, coupé en deux
100 g	fraises équeutées et coupées en deux
100 g	raisins verts
2	kiwis, pelés et tranchés
1	carambole, coupée finement
½ dl	eau
½ dl	sirop de maïs
1	morceau de gingembre, coupé finement
2	oranges détaillées en quartiers pelés à vif
	jus et zeste de 1 citron vert

• À l'aide d'un couteau, enlever la partie fibreuse au centre de l'ananas, puis en retirer la chair et la couper en morceaux.

• Dans un bol, mélanger la chair d'ananas, les fraises, les raisins, les kiwis et la carambole. Réserver.

• Dans une casserole, mélanger l'eau et le sirop de maïs. Ajouter le gingembre, la moitié du zeste de citron vert râpé et le jus de citron vert.

• Porter lentement à ébullition en remuant continuellement. Laisser mijoter 1 minute, jusqu'à l'obtention d'une consistance sirupeuse.

• Couper le reste du zeste de citron vert en fine julienne; l'ajouter au sirop. Laisser mijoter 1 minute, retirer du feu et laisser refroidir.

• Disposer les fruits dans l'écorce de l'ananas et les arroser de sirop. Garnir de quartiers d'orange et laisser refroidir.

●

GÉNOISE AUX PETITS FRUITS

●

8 PORTIONS

6	œufs
150 g	sucre semoule
225 g	farine
3 dl	crème fraîche épaisse
1 c. à s.	kirsch *ou* brandy (facultatif)
125 g	framboises fraîches
700 g	fraises tranchées en deux
	beurre
	sucre semoule
	farine
	zeste de 1 citron
	zeste de 1 orange
	sucre glace

• Préchauffer le four à 180 °C. Graisser un moule de 22 cm de diamètre; saupoudrer de sucre semoule et de farine.

• Dans un bol, bien faire mousser les œufs, le sucre semoule et les zestes de citron et d'orange jusqu'à l'obtention d'une consistance épaisse.

• Tamiser la farine et l'incorporer au mélange aux œufs en pliant. Verser dans le moule, enfourner et faire cuire 12 à 15 minutes, jusqu'à ce que le dessus du gâteau soit doré. Laisser refroidir et démouler.

• Dans un bol, fouetter la crème jusqu'à l'obtention d'une consistance ferme, parfumer au kirsch et sucrer au goût. Incorporer la moitié des framboises. Réserver.

• Dans un autre bol, mélanger le reste des framboises et les fraises; réserver.

• Couper une calotte sur le dessus du gâteau. Creuser une cavité dans la base du gâteau. Remplir cette cavité du mélange à la crème fouettée et aux framboises et des morceaux de gâteau retirés. Remettre en place la partie supérieure du gâteau et garnir du reste du mélange à la crème fouettée et du mélange aux fraises et aux framboises.

• Saupoudrer de sucre glace et servir.

●

GRATIN de PÊCHES ET de PETITS FRUITS

●

2 PORTIONS

2	jaunes d'œufs
3 c. à s.	sucre semoule
3 c. à s.	liqueur d'orange
2	pêches pelées et coupées en petits quartiers
150 g	petits fruits au choix (framboises, fraises, myrtilles, groseilles, airelles)
1 c. à s.	sucre glace.

• Préchauffer le gril du four.

• Dans un bol, mélanger les jaunes d'œufs, le sucre semoule et la liqueur d'orange. Faire cuire à feu doux, au bain-marie, en fouettant pendant 3 minutes environ, jusqu'à l'obtention d'une crème légère.

• Répartir la préparation entre 2 assiettes creuses, puis disposer les pêches en couronne autour de l'assiette.

• Garnir le centre de la couronne de pêches et de petits fruits. Saupoudrer de sucre glace.

• Faire dorer au four. Sortir du four et servir immédiatement.

●

GRANITÉ AU CANTALOUP

●

4 PORTIONS

---

675 g	cantaloup coupé en dés
100 g	sucre semoule
1 c. à s.	jus de citron
1½ c. à c.	gingembre râpé
	feuilles de menthe

• Au robot ménager, réduire en purée le cantaloup et le sucre semoule.

• Incorporer le jus de citron et le gingembre.

• Verser le mélange dans un contenant hermétique et mettre au congélateur jusqu'à ce que la texture soit ferme.

• Servir dans des coupes; garnir de feuilles de menthe.

●

GÂTEAU aux POMMES

●

14 À 16 PORTIONS

———

GÂTEAU

300 g	farine
2 c. à c.	levure chimique
¼ c. à c.	sel
125 g	beurre, ramolli
130 g	sucre semoule
2	œufs
2 c. à s.	jus de citron
4	pommes, pelées, évidées et tranchées finement

GARNITURE

125 g	amandes pilées *ou* poudre d'amande
135 g	yaourt nature
2	œufs, battus
2 c. à s.	farine
1 c. à c.	zeste de citron et/*ou* d'orange râpé

GLAÇAGE

70 g	confiture de framboises
2 c. à c.	jus de citron

———

• Préchauffer le four à 180 °C. Graisser et fariner un moule à fond amovible de 22 cm de diamètre.

• Dans un bol, mélanger la farine, la levure chimique et le sel. Réserver.

• Au robot ménager, mélanger le beurre et le sucre semoule jusqu'à l'obtention d'un mélange léger et crémeux. Sans cesser de mélanger, à vitesse réduite, incorporer les œufs, un à un, puis le jus de citron. À faible vitesse, ajouter progressivement le mélange à la farine.

• Verser dans le moule, couvrir de tranches de pomme et les enfoncer légèrement dans la pâte.

• Dans un bol, bien mélanger les ingrédients de la garniture et répartir le mélange sur les pommes. Enfourner et faire cuire 55 à 60 minutes, ou jusqu'à ce qu'un cure-dents enfoncé au milieu en ressorte propre.

• Mélanger la confiture de framboises et le jus de citron; verser sur le gâteau chaud. Laisser reposer 10 minutes. Démouler avec précaution.

●

MOUSSE AUX PRUNEAUX

●

4 PORTIONS

180 g	pruneaux dénoyautés
180 g	abricots séchés
2 c. à c.	jus de citron
2	blancs d'œufs
1	pincée de sel
2 c. à s.	sucre semoule
½ dl	crème fouettée
	feuilles de menthe

• Mettre les pruneaux et les abricots dans une casserole, couvrir d'eau et faire cuire 5 minutes à feu moyen, afin de les attendrir. Égoutter (réserver le jus de cuisson). Réserver le quart des fruits.

• Au robot ménager, réduire en purée le reste des fruits et un peu de jus de cuisson pour obtenir une consistance assez ferme. Ajouter le jus de citron et laisser refroidir.

• Au mixeur, battre à haute vitesse les blancs d'œufs avec le sel pour obtenir une mousse. Incorporer progressivement le sucre semoule et battre jusqu'à l'obtention de pics fermes.

• Ajouter la purée de fruits graduellement et battre à haute vitesse, 2 minutes.

• Hacher les fruits réservés et les incorporer délicatement au mélange, en pliant. À l'aide d'une spatule ou d'une cuillère de bois, incorporer la crème fouettée. Verser dans des ramequins ou dans des coupes. Réfrigérer.

• Garnir de feuilles de menthe et servir.

●

Les pruneaux sont riches en calcium et en fer, en vitamines A et B et en fibres.

ROULÉ À LA CANNELLE ET AUX NOIX DE PECAN

●

8 PORTIONS

———

525 g	farine
50 g	sucre semoule
50 g	beurre
1 c. à c.	sel
1	sachet de levure sèche instantanée
1,75 dl	lait
2	œufs, légèrement battus
1	jaune d'œuf
1 c. à s.	lait
	sucre glace

GARNITURE

90 g	cassonade bien tassée
65 g	noix de pecan hachées
35 g	raisins secs
1 c. à s.	cannelle
½ dl	lait

———

- Préchauffer le four à 190 °C.

- Au robot ménager, mélanger pendant 30 secondes la farine, le sucre semoule, le beurre, le sel et la levure. Faire chauffer légèrement 1,75 dl de lait et l'ajouter progressivement au mélange en alternant avec les œufs battus. Mélanger jusqu'à ce que la préparation s'amalgame. Pétrir la pâte 1 minute de plus. La déposer dans un bol graissé et la rouler pour l'enduire entièrement de graisse. Couvrir et laisser reposer 10 minutes.

- Entre-temps, préparer la garniture en mélangeant la cassonade, les noix de pecan, les raisins secs et la cannelle. Réserver.

- Abaisser la pâte en un rectangle de 22 cm sur 30 cm. Badigeonner de lait, jusqu'à 1 cm du bord. Couvrir de garniture à la cannelle. En commençant par un côté long du rectangle, rouler la pâte sur elle-même, en enveloppant la garniture. Pincer les extrémités et les rabattre sous le roulé.

- Déposer sur une tôle graissée. Couvrir et laisser reposer 1 heure ou jusqu'à ce que la pâte ait doublé de volume.

- Dans un bol, mélanger le jaune d'œuf et 1 c. à s. de lait. À l'aide d'un pinceau, badigeonner le roulé de ce mélange. Enfourner et faire cuire 30 à 35 minutes. Après 15 minutes de cuisson, recouvrir le gâteau d'une feuille de papier d'aluminium pour l'empêcher de trop brunir. Laisser refroidir. Saupoudrer de sucre glace et servir.

●

BAVAROIS
AUX PETITS FRUITS

●

4 À 5 PORTIONS

─────────

420 g	framboises surgelées, non sucrées, égouttées
3	sachets de gélatine, sans saveur
1,25 dl	eau froide
70 g	sucre semoule
1 c. à s.	jus de citron
4 dl	crème fraîche épaisse
3	blancs d'œufs, montés en neige
	framboises
	feuilles de menthe

─────────

• Au robot ménager, réduire les framboises surgelées en purée. Réserver.

• Faire gonfler la gélatine dans l'eau froide.

• Dans une casserole, porter 4 c. à s. d'eau à ébullition. Retirer du feu et y faire dissoudre la gélatine gonflée en remuant avec une cuillère de bois.

• Ajouter le sucre semoule et remuer jusqu'à ce qu'il soit dissout.

• Incorporer le contenu de la casserole et le jus de citron à la purée de framboises et réfrigérer jusqu'à ce que le mélange commence à prendre.

• Fouetter la crème et réserver.

• Incorporer successivement la crème et les blancs d'œufs à la purée de framboises. Verser dans un moule ou dans des ramequins et laisser prendre au moins 3 heures au réfrigérateur.

• Démouler dans un plat de présentation, garnir de framboises et de feuilles de menthe, et servir.

●

CRÊPES AUX POMMES FONDANTES ET AU CIDRE

●

4 PORTIONS

___

PÂTE

150 g	farine
1 c. à c.	sel
1	œuf
1	jaune d'œuf
3 dl	lait
1 c. à s.	beurre fondu
	huile de maïs

GARNITURE

50 g	beurre
1 kg	pommes à cuire, pelées, évidées et émincées
2 c. à s.	sirop d'érable
1 c. à s.	cannelle en poudre
½ dl	cidre sec *ou* jus de pomme non sucré
	sucre glace

___

• Au robot ménager, mélanger la farine, le sel, l'œuf et le jaune d'œuf.

• Ajouter le lait progressivement et bien mélanger.

• Incorporer le beurre. Couvrir et réserver au frais 30 minutes.

• Faire cuire les crêpes dans une poêle à revêtement antiadhésif légèrement huilée. Réserver.

• *Pour préparer la garniture*, dans une autre poêle à revêtement antiadhésif, à feu moyen, faire fondre le beurre.

• Y faire revenir doucement les pommes, le sirop d'érable et la cannelle, en remuant de temps en temps jusqu'à ce que les pommes soient ramollies.

• Ajouter le cidre et laisser réduire.

• Garnir les crêpes du mélange aux pommes, rouler, saupoudrer de sucre glace et servir.

●

GÂTEAU AU FROMAGE MARBRÉ AUX MYRTILLES

●

10 PORTIONS

FOND

125 g	chapelure de biscuits
65 g	noix de pecan moulues
55 g	sucre semoule
½ c. à c.	cannelle en poudre
5 c. à s.	beurre fondu

GARNITURE AUX MYRTILLES

725 g	fromage blanc épais
250 g	sucre semoule
6	jaunes d'œufs
3 c. à s.	farine
2 c. à c.	extrait de vanille
500 g	crème aigre
1 c. à s.	jus de citron
1 c. à s.	zeste de citron
6	blancs d'œufs
1	pincée de sel
500 g	coulis aux myrtilles, épais

• Mélanger tous les ingrédients du fond.

• Bien graisser un moule à fond amovible, de 22 cm de diamètre. Avec les doigts, presser le mélange au fond du moule et contre les parois. Réfrigérer 20 minutes.

• Préchauffer le four à 180 °C.

• *Pour préparer la garniture*, battre le fromage et ajouter graduellement le sucre semoule. Tout en remuant, incorporer les jaunes d'œufs, un à un. Bien lier tous les ingrédients. Ajouter la farine, l'extrait de vanille, la crème aigre, le jus et le zeste de citron. Réserver.

• Battre les blancs d'œufs en neige avec la pincée de sel. Incorporer ensuite délicatement au mélange, en pliant.

• Marbrer avec 175 g de coulis aux myrtilles.

• Enfourner et faire cuire 1 heure. Éteindre le four, entrouvrir la porte et laisser reposer 15 minutes. Laisser refroidir à la température ambiante. Juste avant de servir, napper avec le reste du coulis aux myrtilles.

●

GÂTEAU AUX POIRES ET AUX AMANDES

8 À 10 PORTIONS

250 g	pâte sablée *ou* pâte brisée
250 g	demi-poires en conserve, égouttées
	miel liquide, tiède
	yaourt nature

CRÈME AUX AMANDES

60 g	beurre doux
3 c. à s.	sucre semoule
1	œuf
1	jaune d'œuf
100 g	poudre d'amande
2 c. à s.	farine

• Préchauffer le four à 220 °C.

• Abaisser la pâte et en foncer un moule à tarte à fond amovible de 24 cm de diamètre.

• *Pour préparer la crème,* au robot ménager, battre le beurre à vitesse moyenne. Ajouter le sucre semoule, puis l'œuf, le jaune d'œuf, la poudre d'amande et terminer par la farine.

• Étaler la crème aux amandes sur la pâte et garnir de demi-poires.

• Enfourner et faire cuire 15 à 20 minutes. Poursuivre la cuisson à 190 °C pendant 10 minutes environ.

• À l'aide d'un pinceau, badigeonner la tarte de miel liquide. Mettre sous la rampe du gril quelques secondes. Servir avec une touche de yaourt nature.

PETITS POTS À L'AMANDE ET AUX PÊCHES

●

8 PORTIONS

¼ litre	lait
70 g	sucre semoule
3	jaunes d'œufs
4 c. à c.	gélatine sans saveur
½ dl	eau froide
550 g	yaourt nature
2 c. à c.	extrait d'amande
4	demi-pêches en conserve dans un sirop léger *ou* dans leur jus, égouttées et coupées en dés

---

• Dans une casserole, à feu doux, faire chauffer le lait avec 2 c. à s. de sucre semoule. Réserver.

• Dans un bol, mélanger les jaunes d'œufs et le reste du sucre semoule jusqu'à la formation d'un ruban. Sans cesser de remuer, incorporer progressivement le lait chaud.

• Faire cuire au bain-marie à feu doux environ 10 minutes ou jusqu'à ce que le mélange épaississe.

• Faire gonfler la gélatine dans l'eau froide. Incorporer progressivement au premier mélange et laisser refroidir. Ajouter le yaourt et l'extrait d'amande; remuer. Incorporer les pêches.

• Verser la préparation dans un moule ou dans 8 ramequins légèrement graissés. Réfrigérer 2 heures ou jusqu'à ce que la crème soit prise. Démouler et servir avec un coulis de fruits de votre choix.

●

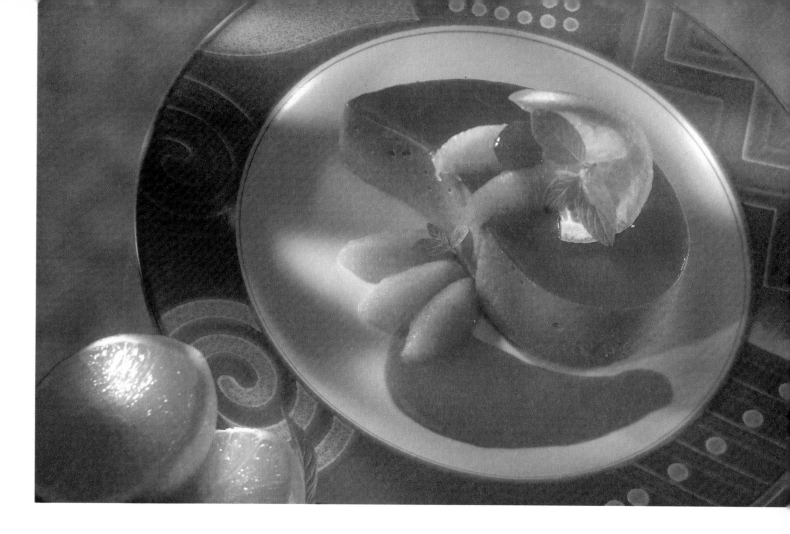

MOUSSE À L'ORANGE ET AUX FRAMBOISES

●

4 PORTIONS

1 c. à s.	zeste d'orange râpé
¼ litre	jus d'orange non sucré
50 g	sucre semoule
2	sachets de gélatine, sans saveur
550 g	yaourt nature
300 g	framboises surgelées, égouttées

• Dans une casserole, mélanger le zeste et le jus d'orange, le sucre semoule et la gélatine. Faire chauffer pour faire dissoudre la gélatine. Retirer du feu. Laisser prendre au réfrigérateur 30 minutes.

• Mélanger la préparation au robot ménager jusqu'à l'obtention d'une consistance crémeuse.

• Ajouter le yaourt et les framboises, et mélanger de nouveau.

• Verser dans des coupes ou dans un moule, réfrigérer 1 heure. Servir bien frais.

●

ASSIETTES DE FRUITS TROPICAUX À LA CRÈME DE MANGUE

●

6 PORTIONS

2	mangues, pelées, dénoyautées et coupées en morceaux
2	nectarines *ou* pêches, dénoyautées et coupées en morceaux
3	kiwis, pelés et coupés en fines rondelles
½	ananas, pelé et coupé en morceaux
1	melon d'hiver, épépiné, pelé et coupé en morceaux
	jus de 2 oranges

CRÈME DE MANGUE

1	mangue, pelée et dénoyautée
275 g	yaourt nature
	jus de ½ orange
	jus de 1 citron

• Mettre les fruits coupés dans un bol et les arroser de jus d'orange. Couvrir d'une pellicule plastique et réfrigérer.

• *Pour préparer la crème de mangue*, au robot ménager, réduire en purée la pulpe de mangue, le jus d'orange et le jus de citron.

• Incorporer le yaourt et bien mélanger.

• Dresser les fruits dans des assiettes et servir avec la crème de mangue.

●

AMANDINE aux PÊCHES

8 PORTIONS

150 g	farine
1	pincée de sel
50 g	beurre dur
50 g	sucre semoule
1	jaune d'œuf
2 c. à s.	eau froide

GARNITURE

50 g	beurre ramolli
2 c. à s.	sucre semoule
2	jaunes d'œufs
60 g	poudre d'amande
1 c. à s.	fécule de maïs
375 g	pêches fraîches *ou* en conserve

• Dans un bol, tamiser la farine et le sel. Au robot ménager, mélanger la farine et le beurre dur, jusqu'à l'obtention d'une consistance granuleuse.

• Ajouter 50 g de sucre semoule et le jaune d'œuf. Pétrir la pâte en ajoutant l'eau froide petit à petit. Réfrigérer 30 minutes.

• Abaisser la pâte et en foncer un moule à tarte de 22 cm de diamètre, beurré. Piquer le fond à la fourchette.

• Préchauffer le four à 220 °C.

• Battre le beurre ramolli, ajouter le sucre semoule et les jaunes d'œufs; bien mélanger. Incorporer la poudre d'amande et la fécule de maïs.

• Étaler la garniture sur le fond de tarte. Garnir de pêches. Presser légèrement.

• Enfourner et faire cuire 30 minutes.

VACHERIN GLACÉ

●

4 PORTIONS

———

½ litre	lait glacé
¼ litre	crème fraîche épaisse
2 c. à s.	sucre glace
1 c. à c.	extrait de vanille

MERINGUE SUISSE

375 g	sucre glace
2	blancs d'œufs
3	gouttes de vinaigre blanc
4	blancs d'œufs, montés en neige

———

La cuisson des meringues se fait à température très basse pour qu'elles restent bien blanches; à la sortie du four, les meringues seront croquantes, mais encore friables.

• Préchauffer le four à 100 °C.

• *Pour préparer la meringue,* au robot ménager, fouetter le sucre glace, les 2 blancs d'œufs et le vinaigre jusqu'à l'obtention d'un mélange blanc et lisse. Verser dans un bol, puis incorporer les blancs d'œufs montés en neige.

• Graisser et fariner 2 tôles. Disposer sur chacune d'elles 1 cercle de meringue de 20 cm de diamètre. Enfourner et faire cuire 1 heure. Éteindre le four et y laisser sécher les meringues.

(Suite à la page suivante)

1

Fouetter le sucre glace, les 2 blancs d'œufs et le vinaigre. Y incorporer les blancs d'œufs montés en neige.

2

Disposer les meringues sur les tôles et faire cuire au four.

3

Étaler le lait glacé sur une des meringues et mettre au congélateur.

4

Préparer la crème et en garnir les meringues.

• Déposer une meringue sur un plat de présentation, couvrir de la moitié du lait glacé et mettre au congélateur 15 minutes. Étaler le reste du lait glacé sur la première couche, couvrir de la seconde meringue en appuyant légèrement pour bien souder toutes les parties. Remettre au congélateur.

• Entre-temps, au robot ménager, fouetter la crème, le sucre glace et l'extrait de vanille jusqu'à l'obtention de pics fermes. Garnir le vacherin de crème et congeler jusqu'au moment de servir.

●

COMMENT PRÉPARER LES MERINGUES

Monter les blancs d'œufs avec un peu de vinaigre blanc et une pincée de sel, jusqu'à ce qu'ils forment des pics mous.

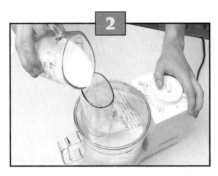

Ajouter graduellement le sucre semoule. Battre le mélange pour l'épaissir et le rendre brillant, jusqu'à ce que les pics soient bien fermes.

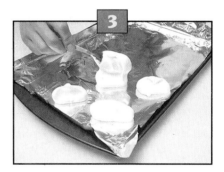

À l'aide d'une cuillère, déposer la préparation par petites quantités sur une tôle foncée d'une feuille de papier d'aluminium graissée. Faire cuire dans un four préchauffé à 120 °C pendant 1½ heure; laisser légèrement dorer.

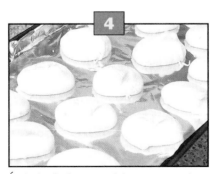

Éteindre le four et y laisser reposer les meringues 1 heure. Juste avant de servir, napper d'un coulis de fruits ou garnir de chocolat fondu.

GIVRÉ AUX FRUITS TROPICAUX

●

6 PORTIONS

2		mangues
½		ananas
2 c. à s.		jus de citron vert
½ litre		jus d'ananas
1		boîte de lait de coco
2		kiwis, pelés et coupés en dés
½		mangue, pelée et coupée en dés

La mangue constitue une excellente source de bêta-carotène et une bonne source de vitamine C.

• Au robot ménager, réduire en purée les 2 mangues et le ½ ananas.

• Ajouter les jus de citron vert et d'ananas et le lait de coco. Verser dans un pichet; ajouter les fruits coupés en dés et réserver au réfrigérateur.

• Mettre les coupes à dessert au réfrigérateur 1 heure avant de servir.

• Pour servir, verser du sucre semoule dans une assiette. Tenir les coupes par le pied, les renverser et les faire tourner dans le sucre semoule pour bien en givrer le bord. Verser la préparation aux fruits dans les coupes.

●

GRANITÉ DE MELON

●

4 PORTIONS

———

1,25 dl	eau
50 g	sucre semoule
150 g	melon d'hiver pelé, épépiné et coupé en dés
1 c. à s.	jus de citron vert
	feuilles de menthe

———

• Dans une poêle de grandeur moyenne, mélanger l'eau et le sucre semoule et porter à ébullition. Faire bouillir 3 minutes, retirer du feu et laisser refroidir.

• Au robot ménager, réduire le melon en purée. Incorporer le sirop refroidi et le jus de citron vert. Verser dans un moule de métal peu profond et mettre au congélateur au moins 3 heures.

• Mélanger de nouveau la préparation au robot ménager, remettre dans le moule, puis au congélateur jusqu'à ce que le granité soit bien ferme (4 à 6 heures). Remuer de temps en temps.

• Sortir le granité et le laisser à la température ambiante jusqu'à ce qu'il soit suffisamment ramolli pour être servi à la cuillère. Garnir chaque portion de feuilles de menthe et servir.

●

LEXIQUE

Allonger
Ajouter un liquide à une préparation pour la rendre moins épaisse.

Badigeonner
Enduire d'une préparation liquide ou de beurre fondu.

Bain-marie
Procédé permettant de tenir au chaud une sauce, un potage ou une préparation ou encore de faire fondre un mélange sans risque de le brûler. Technique consistant à placer le récipient dans lequel se trouve le mélange dans un second récipient plus grand que le premier, lequel contient de l'eau bouillante.

Barder
Recouvrir ou entourer une viande à cuire d'une ou de plusieurs tranches de lard ou de bacon, maintenues en place par quelques tours de ficelle.

Bulghur ou couscous
Semoule de blé dur roulée en grains.

Colorer
Faire saisir à feu vif dans un corps gras pour faire dorer.

Daïkon
Radis du Japon. Peut être remplacé par du navet.

Déglacer
Ajouter un liquide dans une casserole ou une poêle pour en faire dissoudre les sucs après avoir fait revenir un aliment pour obtenir un jus ou une sauce.

Écumer
Retirer à l'aide d'une écumoire ou d'une cuillère l'écume qui se forme à la surface d'une préparation lorsque le liquide cuit à découvert.

Enrober
Tremper dans une préparation (pâte, mélange d'épices, farine) de manière à bien en envelopper l'aliment.

Faire suer
Faire cuire les légumes à feu doux pour leur faire perdre leur eau.

Faire tomber
Faire cuire à feu doux, avec ou sans gras, des légumes riches en eau, pour qu'ils rendent toute leur eau, et ce, sans coloration.

Filtrer
Faire passer une préparation à travers un filtre, une passoire ou un chinois pour la rendre plus lisse ou pour recueillir le jus de cuisson ou juste les ingrédients.

Foncer
Garnir un moule à tarte beurré et fariné avec une abaisse de pâte.

Frémir
Faire cuire lentement à la limite du point d'ébullition.

Hijiki
Algues brunes provenant du Japon, de saveur prononcée et dont la texture est légèrement croustillante. Ces algues augmentent d'au moins cinq fois leur volume lorsqu'elles sont réhydratées.

Incorporer
Ajouter un ou plusieurs ingrédients à une préparation et bien mélanger.

Kombu
Algues séchées en provenance du Japon. Se réhydratent dans un peu de liquide.

Lèchefrite
Plat rectangulaire peu profond, en tôle émaillée, muni d'une grille, ce qui permet de recueillir le jus de cuisson.

Mariner
Faire tremper dans un liquide aromatique, pendant un certain temps, pour attendrir et parfumer.

Masquer
Couvrir d'une mince couche.

Miso
Pâte fermentée, très salée, faite à partir de haricots de soja qui rehausse la saveur et la valeur nutritive des aliments.

Monder
Retirer la peau d'un fruit après l'avoir plongé quelques secondes dans une casserole d'eau portée à ébullition.

Mouiller
Ajouter un liquide à une préparation.

Napper
Verser une préparation liquide ou semi-liquide sur un mets pour le couvrir partiellement ou totalement.

Pain pita
Pain du Moyen-Orient, sans levain ni levure.

Pocher
Plonger un aliment dans un liquide bouillant pour le faire cuire, et maintenir un faible frémissement pendant toute la cuisson.

Réduire
Faire diminuer le volume d'un liquide par évaporation, en le maintenant à ébullition.

Sumac/semac
Petites baies au goût légèrement acidulé, séchées et réduites en poudre de couleur pourpre, utilisées dans la cuisine moyenne-orientale. Peuvent être remplacées par du jus de citron.

Tofu ou fromage de soja
Aliment obtenu à partir de haricots de soja trempés, réduits en une purée qui est bouillie, puis tamisée. Très riche en protéines végétales, le tofu peut s'apprêter de multiples façons. Peut remplacer la crème aigre, le yaourt et le fromage.

Udon
Nouilles au sarrasin.

INDEX